# ENJOY A[illegible]

John and Patricia Moore

# ANSWER BOOK

Contains *all* the answers for Books 1 to 5

## BOOK SIX

POND VIEW BOOKS

Reprinted 1990
Reprinted 1991
Reprinted 1992
Reprinted 1993
Reprinted 1994
Reprinted 1996
Reprinted 1998



ISBN 1 871044 30 8

Printed in Great Britain by
Longmore Press Limited, Park Lane, Otford, Kent TN14 5PG

Published by
**Hawthorns Publications Limited**
Pond View House, 6a High Street, Otford, Sevenoaks, Kent TN14 5PQ

# FOREWORD

This is not a teaching scheme, but sets of exercises for the use of Primary School pupils, and pupils in Secondary Schools in need of revision in basic Arithmetic.

No attempt has been made to suggest methods for working. There is often more than one perfectly legitimate way of obtaining the correct answer. We do not believe that slower pupils should be confused by being confronted with a different method from the one used by their teacher. Very carefully graded material is used, with correct development of steps, introducing one difficulty at a time.

In the early material on Addition and Subtraction great emphasis has been placed on the number bond 10 ($1+9=10$, $2+8=10$, etc). This is included in almost every example.

In Subtraction, some children find it extremely difficult to subtract from 0. This may be laziness, but frequently they have had little grounding in "making up to 10". They need, therefore, much practice to cope with this particular difficulty. For this reason, we do not apologise for repetition in basic processes.

In the books dealing with Multiplication and Division digits have been repeated many times to reinforce learning the table. The table square is included inside the Multiplication front cover. It is always available for reference, if needed.

In Division by divisors up to 12 care has been taken to use the simplest carrying figures in the early stages, gradually increasing in difficulty by very easy steps. Long division has been included, although it is not now popular with many teachers, or included in many schemes. This, in our experience, can be taught with greater ease if the units digit is 1 in the divisor. It is easier to divide by 91 than by 19. The first stage, therefore, is division by 21, 31, 41, etc, and then increasing the units digit by easy stages to 22, 32, 42, etc, and 23, 33, 43, etc. It is also valuable to have the multiplication table of the divisor written out, and this we have asked the pupils to do. In our opinion, long division is worthy of more attention, as it gives practice in subtraction and multiplication, as well as division.

We have used large type, and would recommend that the examples be copied carefully by the pupils, preferably using squared books, so that –

a) the digits are spaced out adequately, and

b) the columns are quite distinct and straight.

Children who are not given prepared columns to work with initially are inclined to ignore the fact that columns are required, and squash all the numbers together.

How the book is used is left entirely to the discretion of the teacher, who knows the needs of particular individuals. Even in a small Remedial Unit there will be pupils of varying abilities, with very different weaknesses. Backward pupils need to have evidence of progress, even if it is slow. The work has to be arranged so that the end of an exercise is always in sight, and attainable.

In examples involving problems, the language used has been kept very simple, so that difficulties with reading will not hamper arithmetical attainment.

We hope that the very carefully graded exercises in these books will be to the mutual advantage of teachers and their pupils in the quest for high standards of numeracy.

John and Patricia Moore

## CONTENTS

PRACTICE EXAMPLES

# BASIC ADDITION

## ANSWERS

## BOOK ONE

# BASIC ADDITION
## ANSWERS

**Exercise A1**

| | | | | |
|---|---|---|---|---|
| 1. 10 | 2. 10 | 3. 10 | 4. 10 | 5. 10 |
| 6. 11 | 7. 12 | 8. 11 | 9. 12 | 10. 11 |
| 11. 12 | 12. 11 | 13. 12 | 14. 11 | 15. 12 |
| 16. 14 | 17. 13 | 18. 14 | 19. 13 | 20. 14 |
| 21. 13 | 22. 14 | 23. 13 | 24. 14 | 25. 13 |

**Exercise A2**

| | | | | |
|---|---|---|---|---|
| 1. 16 | 2. 15 | 3. 16 | 4. 15 | 5. 16 |
| 6. 15 | 7. 16 | 8. 15 | 9. 16 | 10. 15 |
| 11. 18 | 12. 18 | 13. 17 | 14. 17 | 15. 18 |
| 16. 19 | 17. 18 | 18. 17 | 19. 18 | 20. 19 |
| 21. 17 | 22. 19 | 23. 19 | 24. 17 | 25. 19 |

**Exercise A3**

| | | | | |
|---|---|---|---|---|
| 1. 30 | 2. 30 | 3. 30 | 4. 30 | 5. 30 |
| 6. 41 | 7. 43 | 8. 42 | 9. 41 | 10. 42 |
| 11. 43 | 12. 43 | 13. 42 | 14. 41 | 15. 43 |
| 16. 43 | 17. 42 | 18. 41 | 19. 42 | 20. 41 |
| 21. 46 | 22. 44 | 23. 45 | 24. 44 | 25. 45 |

**Exercise A4**

| | | | | |
|---|---|---|---|---|
| 1. 44 | 2. 45 | 3. 46 | 4. 46 | 5. 45 |
| 6. 44 | 7. 45 | 8. 46 | 9. 44 | 10. 46 |
| 11. 48 | 12. 49 | 13. 47 | 14. 48 | 15. 49 |
| 16. 47 | 17. 48 | 18. 49 | 19. 48 | 20. 49 |
| 21. 47 | 22. 47 | 23. 49 | 24. 48 | 25. 47 |

**Exercise A5**

| | | | | |
|---|---|---|---|---|
| 1. 41 | 2. 41 | 3. 41 | 4. 41 | 5. 41 |
| 6. 52 | 7. 53 | 8. 54 | 9. 52 | 10. 53 |
| 11. 54 | 12. 52 | 13. 54 | 14. 54 | 15. 53 |
| 16. 54 | 17. 52 | 18. 53 | 19. 53 | 20. 52 |

**Exercise A6**

| | | | | |
|---|---|---|---|---|
| 1. 56 | 2. 55 | 3. 56 | 4. 55 | 5. 56 |
| 6. 55 | 7. 56 | 8. 55 | 9. 56 | 10. 55 |
| 11. 58 | 12. 59 | 13. 57 | 14. 58 | 15. 59 |
| 16. 59 | 17. 58 | 18. 57 | 19. 58 | 20. 59 |

**Exercise A7**

| | | | | |
|---|---|---|---|---|
| 1. 59 | 2. 57 | 3. 58 | 4. 57 | 5. 59 |
| 6. 55 | 7. 56 | 8. 54 | 9. 54 | 10. 55 |
| 11. 56 | 12. 55 | 13. 54 | 14. 55 | 15. 56 |
| 16. 54 | 17. 55 | 18. 54 | 19. 56 | 20. 56 |

**Exercise A8**

| | | | | |
|---|---|---|---|---|
| 1. 57 | 2. 58 | 3. 59 | 4. 58 | 5. 57 |
| 6. 58 | 7. 57 | 8. 59 | 9. 58 | 10. 57 |
| 11. 59 | 12. 57 | 13. 58 | 14. 59 | 15. 60 |
| 16. 59 | 17. 60 | 18. 60 | 19. 60 | 20. 60 |

**Exercise A9**

| | | | | |
|---|---|---|---|---|
| 1. 54 | 2. 56 | 3. 57 | 4. 55 | 5. 55 |
| 6. 55 | 7. 56 | 8. 57 | 9. 56 | 10. 57 |
| 11. 55 | 12. 57 | 13. 56 | 14. 57 | 15. 56 |
| 16. 58 | 17. 59 | 18. 60 | 19. 59 | 20. 58 |

**Exercise A10**

| | | | | |
|---|---|---|---|---|
| 1. 59 | 2. 58 | 3. 58 | 4. 59 | 5. 60 |
| 6. 59 | 7. 58 | 8. 60 | 9. 61 | 10. 60 |
| 11. 61 | 12. 61 | 13. 61 | 14. 61 | 15. 62 |
| 16. 62 | 17. 59 | 18. 57 | 19. 59 | 20. 61 |

**Exercise A11**

| | | | | |
|---|---|---|---|---|
| 1. 73 | 2. 78 | 3. 74 | 4. 74 | 5. 76 |
| 6. 77 | 7. 76 | 8. 74 | 9. 78 | 10. 77 |
| 11. 75 | 12. 73 | 13. 76 | 14. 77 | 15. 79 |
| 16. 78 | 17. 75 | 18. 75 | 19. 73 | 20. 74 |

**Exercise A12**

| | | | | |
|---|---|---|---|---|
| 1. 79 | 2. 78 | 3. 78 | 4. 86 | 5. 76 |
| 6. 78 | 7. 79 | 8. 77 | 9. 79 | 10. 79 |
| 11. 79 | 12. 77 | 13. 76 | 14. 77 | 15. 78 |
| 16. 83 | 17. 106 | 18. 118 | 19. 108 | 20. 87 |

## Exercise A13

| | | | | |
|---|---|---|---|---|
| 1. 86 | 2. 105 | 3. 84 | 4. 105 | 5. 85 |
| 6. 108 | 7. 118 | 8. 117 | 9. 129 | 10. 125 |
| 11. 115 | 12. 129 | 13. 116 | 14. 128 | 15. 128 |
| 16. 128 | 17. 113 | 18. 128 | 19. 113 | 20. 118 |

## Exercise A14

| | | | | |
|---|---|---|---|---|
| 1. 113 | 2. 116 | 3. 129 | 4. 124 | 5. 118 |
| 6. 135 | 7. 149 | 8. 135 | 9. 134 | 10. 148 |
| 11. 135 | 12. 145 | 13. 148 | 14. 139 | 15. 148 |
| 16. 167 | 17. 146 | 18. 138 | 19. 147 | 20. 155 |

## Exercise A15

| | | | | |
|---|---|---|---|---|
| 1. 149 | 2. 145 | 3. 175 | 4. 154 | 5. 158 |
| 6. 187 | 7. 166 | 8. 137 | 9. 149 | 10. 167 |
| 11. 149 | 12. 194 | 13. 165 | 14. 159 | 15. 137 |
| 16. 187 | 17. 170 | 18. 159 | 19. 158 | 20. 189 |

## Exercise A16

| | | | | |
|---|---|---|---|---|
| 1. 158 | 2. 147 | 3. 157 | 4. 189 | 5. 158 |
| 6. 159 | 7. 197 | 8. 189 | 9. 185 | 10. 189 |
| 11. 183 | 12. 176 | 13. 189 | 14. 169 | 15. 188 |
| 16. 186 | 17. 163 | 18. 150 | 19. 164 | 20. 200 |

**Exercise A17**

| | | | | |
|---|---|---|---|---|
| 1. 130 | 2. 151 | 3. 182 | 4. 181 | 5. 173 |
| 6. 181 | 7. 173 | 8. 193 | 9. 172 | 10. 202 |
| 11. 182 | 12. 196 | 13. 171 | 14. 186 | 15. 185 |

**Exercise A18**

| | | | | |
|---|---|---|---|---|
| 1. 193 | 2. 164 | 3. 173 | 4. 193 | 5. 173 |
| 6. 168 | 7. 153 | 8. 173 | 9. 174 | 10. 202 |
| 11. 205 | 12. 205 | 13. 183 | 14. 155 | 15. 206 |

**Exercise A19**

| | | | |
|---|---|---|---|
| 1. 812 | 2. 775 | 3. 825 | 4. 782 |
| 5. 845 | 6. 815 | 7. 824 | 8. 857 |
| 9. 810 | 10. 843 | 11. 846 | 12. 852 |

**Exercise A20**

| | | | |
|---|---|---|---|
| 1. 795 | 2. 804 | 3. 823 | 4. 823 |
| 5. 843 | 6. 802 | 7. 803 | 8. 802 |
| 9. 821 | 10. 788 | 11. 792 | 12. 772 |

**Exercise A21**

| | | | |
|---|---|---|---|
| 1. 1096 | 2. 1102 | 3. 1084 | 4. 1083 |
| 5. 1074 | 6. 1205 | 7. 1221 | 8. 1184 |
| 9. 1115 | 10. 1119 | 11. 1123 | 12. 1104 |

**Exercise A22**

| | | | |
|---|---|---|---|
| 1. 1127 | 2. 1145 | 3. 1134 | 4. 1115 |
| 5. 1123 | 6. 1214 | 7. 1353 | 8. 1244 |
| 9. 1117 | 10. 1223 | 11. 1534 | 12. 1254 |

**Exercise A23**

| | | | |
|---|---|---|---|
| 1. 1233 | 2. 1239 | 3. 1482 | 4. 1433 |
| 5. 1532 | 6. 1341 | 7. 1223 | 8. 1413 |
| 9. 1637 | 10. 1745 | 11. 1424 | 12. 1249 |

**Exercise A24**

| | | | |
|---|---|---|---|
| 1. 440 | 2. 782 | 3. 558 | 4. 906 |
| 5. 153 | 6. 433 | 7. 409 | 8. 507 |
| 9. 462 | 10. 640 | 11. 492 | 12. 562 |
| 13. 564 | 14. 421 | 15. 550 | 16. 528 |
| 17. 534 | 18. 746 | 19. 390 | 20. 318 |

**Exercise A25**

| | | | |
|---|---|---|---|
| 1. 480 | 2. 318 | 3. 444 | 4. 516 |
| 5. 477 | 6. 473 | 7. 207 | 8. 520 |
| 9. 145 | 10. 129 | 11. 419 | 12. 507 |
| 13. 442 | 14. 423 | 15. 794 | 16. 530 |
| 17. 473 | 18. 644 | 19. 624 | 20. 373 |

**Exercise A26**

| | | |
|---|---|---|
| 1. 6835 | 2. 5857 | 3. 9327 |
| 4. 9067 | 5. 7647 | 6. 7145 |
| 7. 8077 | 8. 8167 | 9. 7168 |
| 10. 9258 | 11. 11267 | 12. 10477 |

**Exercise A27**

| | | |
|---|---|---|
| 1. 7267 | 2. 9237 | 3. 8188 |
| 4. 8457 | 5. 10535 | 6. 13055 |
| 7. 9862 | 8. 11020 | 9. 9990 |
| 10. 9164 | 11. 8332 | 12. 8494 |

**Exercise A28**

| | | |
|---|---|---|
| 1. 9635 | 2. 7344 | 3. 9204 |
| 4. 13142 | 5. 14329 | 6. 13342 |
| 7. 17051 | 8. 19245 | 9. 12385 |
| 10. 12033 | 11. 11408 | 12. 16336 |

**Exercise A29**

| | | |
|---|---|---|
| 1. 19493 | 2. 12056 | 3. 11383 |
| 4. 14403 | 5. 9814 | 6. 11872 |
| 7. 9042 | 8. 10516 | 9. 13720 |
| 10. 11663 | 11. 10790 | 12. 11390 |

**Exercise A30**

| | | |
|---|---|---|
| 1. 3750 | 2. 4761 | 3. 3468 |
| 4. 7016 | 5. 6346 | 6. 6470 |
| 7. 2930 | 8. 6056 | 9. 2803 |
| 10. 5478 | 11. 4897 | 12. 7210 |

**Exercise A31**

| | | |
|---|---|---|
| 1. 4218 | 2. 4677 | 3. 3878 |
| 4. 3709 | 5. 3640 | 6. 5555 |
| 7. 5645 | 8. 3921 | 9. 4386 |
| 10. 5446 | 11. 6086 | 12. 5582 |

**Exercise A32**

| | | |
|---|---|---|
| 1. 5630 | 2. 4766 | 3. 7008 |
| 4. 5049 | 5. 3665 | 6. 5714 |
| 7. 4742 | 8. 3395 | 9. 2592 |
| 10. 4328 | 11. 3479 | 12. 4265 |

**Exercise A33**

| | | |
|---|---|---|
| 1. 1784 | 2. 3040 | 3. 6300 |
| 4. 2205 | 5. 1583 | 6. 6745 |
| 7. 2478 | 8. 3088 | 9. 7296 |
| 10. 3620 | 11. 2287 | 12. 7358 |

**Exercise A34**

1. 1748
2. 734
3. 769
4. 1018
5. 1065
6. 621
7. 966
8. 1164
9. 881
10. 434
11. 475
12. 551
13. 729
14. 855
15. 806
16. 242

**Exercise A35**

1. 2406
2. 8986
3. 6394
4. 1290
5. 888
6. 1670
7. 477
8. 6275
9. 1549
10. 5256
11. 2721
12. 3188
13. 3381
14. 1751
15. 1685
16. 3639

**Exercise A36**

1. 2883
2. 9122
3. 9930
4. 13212
5. 2903
6. 5264
7. 5314
8. 1979
9. 3905
10. 3220
11. 2710
12. 6085
13. 8516
14. 12466
15. 7457
16. 6555

**Exercise A37**

1. 1377
2. 8888
3. 8723
4. 7732
5. 6325
6. 5060
7. 17204
8. 11032
9. 6408
10. 9444
11. 9776
12. 4828
13. 3126
14. 12594
15. 2937
16. 2320

**Exercise A38**

1. 1248
2. 1754
3. 3455
4. 2191
5. 1195
6. 2036
7. 4527
8. 5382
9. 1716
10. 4622
11. 2744
12. 1706
13. 3427
14. 6249
15. 1733
16. 2392

**Exercise A39**

1. 6
2. 11
3. 12
4. 11
5. 15
6. 17
7. 14
8. 6
9. 17p
10. 7m
11. £15
12. 21
13. 11
14. 20

**Exercise A40**

1. 7p
2. 11 eggs
3. 7 books
4. 10 pens
5. 9 cats
6. 10 pencils
7. 10 pens
8. 8 apples
9. 6 boxes
10. 4 shoes
11. 11 beds
12. 12 boys
13. 11 girls
14. 11 men
15. 9 houses

**Exercise A41**

1. 11 apples
2. 12 cats
3. 13 books
4. 15 boys
5. 13 cars
6. 10 pencils
7. 10 tables
8. 10 pens
9. 10 eggs
10. 10 girls
11. 15 chairs
12. 14 tins
13. 9 tables
14. 19 pounds
15. 9 boxes

**Exercise A42**

1. 12 coins
2. 13 dogs
3. 21 pins
4. 20 books
5. 14 hats
6. 18 pears
7. 18 nuts
8. 17 cups
9. 18 tins
10. 27 cakes
11. 26 boys
12. 21 men
13. 18 books
14. 16 pies
15. 18 girls

**Exercise A43**

1. 2 weeks
2. 15 months
3. 19 metres
4. 20 grammes
5. £21

**Exercise A44**

1. 9 cakes
2. 20p
3. (22p) Yes
6. 24
5. 21 coloured pencils

**Exercise A45**

| [1] 1 | 2 | [2] 6 | | [3] 4 |
|---|---|---|---|---|
| | | 4 | | 4 |
| [4] 7 | | | [5] 3 | 5 |
| 0 | | [6] 3 | | |
| 0 | | [7] 9 | 3 | 6 |

**Exercise A46**

| | [1] 2 | 2 | | |
|---|---|---|---|---|
| | 9 | | [2] 1 | [3] 3 |
| [4] 1 | | | | 0 |
| [5] 4 | 7 | | [6] 1 | |
| | | [7] 2 | 8 | |

**Exercise A47**

| [1] 3 | 7 | | [2] 2 | | [3] 1 | 1 | [4] 4 |
|---|---|---|---|---|---|---|---|
| 1 | | | [5] 1 | 3 | 7 | | 5 |
| [6] 5 | [7] 2 | | | | | | |
| | 0 | | [8] 4 | [9] 4 | | [10] 2 | 4 |
| [11] 7 | 0 | | [12] 4 | 4 | | 2 | |
| | | | | | | [13] 6 | [14] 2 |
| [15] 1 | | [16] 7 | 5 | [17] 6 | | | 6 |
| [18] 1 | 4 | 4 | | 6 | | [19] 5 | 0 |

PRACTICE EXAMPLES

# BASIC SUBTRACTION

ANSWERS

BOOK TWO

# BASIC SUBTRACTION
## ANSWERS

**Exercise S1**

| | | | | |
|---|---|---|---|---|
| 1. 88 | 2. 87 | 3. 86 | 4. 85 | 5. 84 |
| 6. 83 | 7. 82 | 8. 81 | 9. 80 | 10. 79 |
| 11. 77 | 12. 76 | 13. 75 | 14. 74 | 15. 73 |
| 16. 72 | 17. 71 | 18. 70 | 19. 68 | 20. 67 |
| 21. 66 | 22. 65 | 23. 64 | 24. 63 | 25. 62 |

**Exercise S2**

| | | | | |
|---|---|---|---|---|
| 1. 55 | 2. 54 | 3. 53 | 4. 52 | 5. 51 |
| 6. 50 | 7. 46 | 8. 45 | 9. 44 | 10. 43 |
| 11. 44 | 12. 43 | 13. 42 | 14. 41 | 15. 40 |
| 16. 35 | 17. 34 | 18. 33 | 19. 32 | 20. 31 |
| 21. 33 | 22. 32 | 23. 31 | 24. 30 | 25. 24 |
| 26. 23 | 27. 22 | 28. 21 | 29. 20 | 30. 14 |

**Exercise S3**

| | | | | |
|---|---|---|---|---|
| 1. 22 | 2. 21 | 3. 20 | 4. 13 | 5. 12 |
| 6. 11 | 7. 10 | 8. 3 | 9. 2 | 10. 1 |
| 11. 11 | 12. 10 | 13. 2 | 14. 1 | 15. 0 |
| 16. 71 | 17. 62 | 18. 53 | 19. 42 | 20. 30 |
| 21. 12 | 22. 73 | 23. 41 | 24. 60 | 25. 25 |
| 26. 23 | 27. 31 | 28. 11 | 29. 35 | 30. 31 |

**Exercise S4**

| | | | | |
|---|---|---|---|---|
| 1. 9 | 2. 8 | 3. 7 | 4. 6 | 5. 5 |
| 6. 4 | 7. 3 | 8. 2 | 9. 1 | 10. 0 |
| 11. 19 | 12. 18 | 13. 17 | 14. 16 | 15. 15 |
| 16. 14 | 17. 13 | 18. 12 | 19. 11 | 20. 10 |
| 21. 29 | 22. 28 | 23. 27 | 24. 26 | 25. 25 |
| 26. 24 | 27. 23 | 28. 22 | 29. 21 | 30. 20 |

**Exercise S5**

| | | | | |
|---|---|---|---|---|
| 1. 9 | 2. 8 | 3. 7 | 4. 6 | 5. 5 |
| 6. 4 | 7. 3 | 8. 2 | 9. 1 | 10. 0 |
| 11. 19 | 12. 18 | 13. 17 | 14. 16 | 15. 15 |
| 16. 14 | 17. 13 | 18. 12 | 19. 11 | 20. 10 |
| 21. 29 | 22. 28 | 23. 27 | 24. 26 | 25. 25 |
| 26. 24 | 27. 23 | 28. 22 | 29. 21 | 30. 20 |

**Exercise S6**

| | | | | |
|---|---|---|---|---|
| 1. 39 | 2. 38 | 3. 37 | 4. 36 | 5. 35 |
| 6. 34 | 7. 33 | 8. 32 | 9. 31 | 10. 30 |
| 11. 49 | 12. 48 | 13. 47 | 14. 46 | 15. 45 |
| 16. 44 | 17. 43 | 18. 42 | 19. 41 | 20. 40 |
| 21. 59 | 22. 58 | 23. 57 | 24. 56 | 25. 55 |

**Exercise S7**

| | | | | |
|---|---|---|---|---|
| 1. 54 | 2. 53 | 3. 52 | 4. 51 | 5. 50 |
| 6. 69 | 7. 68 | 8. 67 | 9. 66 | 10. 65 |
| 11. 64 | 12. 63 | 13. 62 | 14. 61 | 15. 60 |
| 16. 79 | 17. 78 | 18. 77 | 19. 76 | 20. 75 |
| 21. 74 | 22. 73 | 23. 72 | 24. 71 | 25. 70 |

**Exercise S8**

| | | | | |
|---|---|---|---|---|
| 1. 9 | 2. 8 | 3. 7 | 4. 6 | 5. 5 |
| 6. 4 | 7. 3 | 8. 2 | 9. 1 | 10. 0 |
| 11. 19 | 12. 18 | 13. 17 | 14. 16 | 15. 15 |
| 16. 14 | 17. 13 | 18. 12 | 19. 11 | 20. 10 |
| 21. 29 | 22. 28 | 23. 27 | 24. 26 | 25. 25 |
| 26. 24 | 27. 23 | 28. 22 | 29. 21 | 30. 20 |

**Exercise S9**

| | | | | |
|---|---|---|---|---|
| 1. 39 | 2. 30 | 3. 49 | 4. 37 | 5. 31 |
| 6. 48 | 7. 38 | 8. 44 | 9. 42 | 10. 45 |
| 11. 33 | 12. 47 | 13. 46 | 14. 34 | 15. 36 |
| 16. 41 | 17. 35 | 18. 32 | 19. 43 | 20. 40 |
| 21. 56 | 22. 69 | 23. 54 | 24. 50 | 25. 55 |
| 26. 51 | 27. 59 | 28. 68 | 29. 63 | 30. 66 |

**Exercise S10**

| | | | | |
|---|---|---|---|---|
| 1. 67 | 2. 52 | 3. 62 | 4. 58 | 5. 58 |
| 6. 57 | 7. 64 | 8. 61 | 9. 65 | 10. 53 |
| 11. 4 | 12. 19 | 13. 9 | 14. 14 | 15. 5 |
| 16. 11 | 17. 8 | 18. 15 | 19. 2 | 20. 18 |
| 21. 6 | 22. 1 | 23. 17 | 24. 7 | 25. 0 |
| 26. 13 | 27. 16 | 28. 3 | 29. 12 | 30. 10 |

**Exercise S11**

| | | | | |
|---|---|---|---|---|
| 1. 29 | 2. 28 | 3. 27 | 4. 26 | 5. 25 |
| 6. 24 | 7. 23 | 8. 22 | 9. 21 | 10. 20 |
| 11. 36 | 12. 39 | 13. 34 | 14. 30 | 15. 37 |
| 16. 31 | 17. 35 | 18. 33 | 19. 38 | 20. 32 |
| 21. 44 | 22. 59 | 23. 46 | 24. 53 | 25. 48 |
| 26. 47 | 27. 57 | 28. 52 | 29. 56 | 30. 45 |

**Exercise S12**

| | | | | |
|---|---|---|---|---|
| 1. 54 | 2. 51 | 3. 49 | 4. 50 | 5. 41 |
| 6. 42 | 7. 57 | 8. 52 | 9. 56 | 10. 45 |
| 11. 9 | 12. 3 | 13. 19 | 14. 14 | 15. 4 |
| 16. 1 | 17. 18 | 18. 0 | 19. 8 | 20. 15 |
| 21. 5 | 22. 7 | 23. 11 | 24. 16 | 25. 12 |
| 26. 10 | 27. 17 | 28. 6 | 29. 13 | 30. 2 |

**Exercise S13**

| | | | | |
|---|---|---|---|---|
| 1. 39 | 2. 28 | 3. 26 | 4. 36 | 5. 24 |
| 6. 27 | 7. 33 | 8. 34 | 9. 28 | 10. 35 |
| 11. 32 | 12. 20 | 13. 38 | 14. 31 | 15. 21 |
| 16. 25 | 17. 29 | 18. 30 | 19. 22 | 20. 37 |
| 21. 49 | 22. 9 | 23. 40 | 24. 46 | 25. 41 |
| 26. 2 | 27. 43 | 28. 0 | 29. 8 | 30. 1 |

**Exercise S14**

| | | | | |
|---|---|---|---|---|
| 1. 45 | 2. 3 | 3. 48 | 4. 42 | 5. 19 |
| 6. 15 | 7. 5 | 8. 6 | 9. 17 | 10. 47 |
| 11. 4 | 12. 44 | 13. 18 | 14. 7 | 15. 16 |
| 16. 14 | 17. 29 | 18. 37 | 19. 36 | 20. 24 |
| 21. 38 | 22. 23 | 23. 13 | 24. 25 | 25. 10 |
| 26. 28 | 27. 39 | 28. 20 | 29. 35 | 30. 33 |

**Exercise S15**

| | | | | |
|---|---|---|---|---|
| 1. 30 | 2. 12 | 3. 27 | 4. 32 | 5. 22 |
| 6. 26 | 7. 31 | 8. 11 | 9. 21 | 10. 34 |
| 11. 9 | 12. 8 | 13. 7 | 14. 6 | 15. 5 |
| 16. 18 | 17. 13 | 18. 19 | 19. 11 | 20. 15 |
| 21. 12 | 22. 3 | 23. 0 | 24. 14 | 25. 2 |
| 26. 1 | 27. 17 | 28. 4 | 29. 16 | 30. 10 |

**Exercise S16**

| | | | | |
|---|---|---|---|---|
| 1. 25 | 2. 28 | 3. 29 | 4. 26 | 5. 27 |
| 6. 20 | 7. 24 | 8. 21 | 9. 22 | 10. 23 |
| 11. 6 | 12. 9 | 13. 5 | 14. 8 | 15. 7 |
| 16. 0 | 17. 3 | 18. 1 | 19. 4 | 20. 2 |
| 21. 27 | 22. 23 | 23. 2 | 24. 9 | 25. 24 |
| 26. 7 | 27. 8 | 28. 29 | 29. 3 | 30. 1 |

**Exercise S17**

| | | | | |
|---|---|---|---|---|
| 1. 10 | 2. 6 | 3. 9 | 4. 8 | 5. 7 |
| 6. 2 | 7. 5 | 8. 1 | 9. 3 | 10. 4 |
| 11. 20 | 12. 17 | 13. 19 | 14. 16 | 15. 18 |
| 16. 12 | 17. 15 | 18. 13 | 19. 11 | 20. 14 |
| 21. 30 | 22. 27 | 23. 29 | 24. 26 | 25. 28 |
| 26. 21 | 27. 24 | 28. 22 | 29. 25 | 30. 23 |

**Exercise S18**

| | | | | |
|---|---|---|---|---|
| 1. 40 | 2. 38 | 3. 39 | 4. 36 | 5. 37 |
| 6. 34 | 7. 31 | 8. 35 | 9. 33 | 10. 32 |
| 11. 48 | 12. 46 | 13. 50 | 14. 47 | 15. 49 |
| 16. 43 | 17. 41 | 18. 45 | 19. 42 | 20. 44 |
| 21. 60 | 22. 57 | 23. 59 | 24. 56 | 25. 58 |

**Exercise S19**

| | | | | |
|---|---|---|---|---|
| 1. 53 | 2. 52 | 3. 55 | 4. 51 | 5. 54 |
| 6. 63 | 7. 67 | 8. 70 | 9. 66 | 10. 68 |
| 11. 69 | 12. 65 | 13. 61 | 14. 64 | 15. 62 |
| 16. 79 | 17. 77 | 18. 80 | 19. 76 | 20. 72 |
| 21. 74 | 22. 73 | 23. 75 | 24. 71 | 25. 78 |

**Exercise S20**

| | | | | |
|---|---|---|---|---|
| 1. 8 | 2. 11 | 3. 9 | 4. 7 | 5. 10 |
| 6. 5 | 7. 2 | 8. 6 | 9. 3 | 10. 4 |
| 11. 19 | 12. 18 | 13. 21 | 14. 17 | 15. 20 |
| 16. 12 | 17. 16 | 18. 14 | 19. 13 | 20. 15 |
| 21. 31 | 22. 27 | 23. 30 | 24. 28 | 25. 29 |

**Exercise S21**

| | | | | |
|---|---|---|---|---|
| 1. 22 | 2. 26 | 3. 23 | 4. 25 | 5. 24 |
| 6. 39 | 7. 41 | 8. 37 | 9. 40 | 10. 38 |
| 11. 33 | 12. 36 | 13. 34 | 14. 35 | 15. 32 |
| 16. 51 | 17. 49 | 18. 47 | 19. 50 | 20. 48 |
| 21. 44 | 22. 45 | 23. 43 | 24. 46 | 25. 42 |

**Exercise S22**

| | | | | |
|---|---|---|---|---|
| 1. 58 | 2. 56 | 3. 61 | 4. 57 | 5. 60 |
| 6. 54 | 7. 56 | 8. 52 | 9. 53 | 10. 55 |
| 11. 68 | 12. 71 | 13. 67 | 14. 69 | 15. 70 |
| 16. 65 | 17. 63 | 18. 66 | 19. 64 | 20. 62 |
| 21. 77 | 22. 81 | 23. 79 | 24. 80 | 25. 78 |
| 26. 75 | 27. 73 | 28. 76 | 29. 72 | 30. 74 |

**Exercise S23**

| | | | | |
|---|---|---|---|---|
| 1. 5 | 2. 9 | 3. 6 | 4. 4 | 5. 8 |
| 6. 7 | 7. 3 | 8. 18 | 9. 19 | 10. 17 |
| 11. 15 | 12. 13 | 13. 16 | 14. 14 | 15. 29 |
| 16. 27 | 17. 28 | 18. 24 | 19. 26 | 20. 25 |
| 21. 23 | 22. 39 | 23. 37 | 24. 38 | 25. 36 |
| 26. 33 | 27. 35 | 28. 49 | 29. 34 | 30. 48 |

**Exercise S24**

| | | | | |
|---|---|---|---|---|
| 1. 46 | 2. 44 | 3. 47 | 4. 43 | 5. 45 |
| 6. 57 | 7. 59 | 8. 55 | 9. 58 | 10. 56 |
| 11. 69 | 12. 54 | 13. 68 | 14. 67 | 15. 53 |
| 16. 66 | 17. 63 | 18. 65 | 19. 79 | 20. 64 |
| 21. 77 | 22. 78 | 23. 75 | 24. 76 | 25. 74 |
| 26. 71 | 27. 50 | 28. 72 | 29. 61 | 30. 41 |

**Exercise S25**

| | | | | |
|---|---|---|---|---|
| 1. 9 | 2. 6 | 3. 8 | 4. 5 | 5. 7 |
| 6. 19 | 7. 4 | 8. 17 | 9. 18 | 10. 16 |
| 11. 24 | 12. 15 | 13. 14 | 14. 39 | 15. 29 |
| 16. 27 | 17. 28 | 18. 25 | 19. 26 | 20. 38 |
| 21. 3 | 22. 3 | 23. 17 | 24. 2 | 25. 29 |
| 26. 1 | 27. 8 | 28. 8 | 29. 15 | 30. 1 |

**Exercise S26**

| | | | | |
|---|---|---|---|---|
| 1. 38 | 2. 36 | 3. 59 | 4. 55 | 5. 45 |
| 6. 77 | 7. 46 | 8. 35 | 9. 49 | 10. 54 |
| 11. 66 | 12. 47 | 13. 79 | 14. 57 | 15. 74 |
| 16. 67 | 17. 69 | 18. 56 | 19. 76 | 20. 75 |
| 21. 48 | 22. 39 | 23. 27 | 24. 48 | 25. 46 |
| 26. 36 | 27. 49 | 28. 27 | 29. 68 | 30. 56 |

**Exercise S27**

| | | | | |
|---|---|---|---|---|
| 1. 9 | 2. 29 | 3. 19 | 4. 5 | 5. 27 |
| 6. 17 | 7. 26 | 8. 8 | 9. 28 | 10. 6 |
| 11. 39 | 12. 18 | 13. 37 | 14. 25 | 15. 35 |
| 16. 7 | 17. 15 | 18. 38 | 19. 16 | 20. 36 |
| 21. 8 | 22. 6 | 23. 7 | 24. 16 | 25. 18 |
| 26. 6 | 27. 19 | 28. 27 | 29. 9 | 30. 28 |

**Exercise S28**

| | | | | |
|---|---|---|---|---|
| 1. 49 | 2. 78 | 3. 55 | 4. 65 | 5. 58 |
| 6. 45 | 7. 69 | 8. 59 | 9. 79 | 10. 47 |
| 11. 77 | 12. 56 | 13. 48 | 14. 57 | 15. 75 |
| 16. 46 | 17. 68 | 18. 66 | 19. 76 | 20. 67 |
| 21. 38 | 22. 26 | 23. 17 | 24. 30 | 25. 29 |
| 26. 19 | 27. 59 | 28. 48 | 29. 67 | 30. 28 |

**Exercise S29**

| | | | | |
|---|---|---|---|---|
| 1. 19 | 2. 27 | 3. 39 | 4. 7 | 5. 26 |
| 6. 38 | 7. 18 | 8. 9 | 9. 49 | 10. 16 |
| 11. 6 | 12. 29 | 13. 37 | 14. 46 | 15. 48 |
| 16. 28 | 17. 8 | 18. 36 | 19. 17 | 20. 47 |
| 21. 69 | 22. 77 | 23. 59 | 24. 78 | 25. 79 |
| 26. 57 | 27. 68 | 28. 28 | 29. 27 | 30. 9 |

**Exercise S30**

| | | | | |
|---|---|---|---|---|
| 1. 9 | 2. 9 | 3. 19 | 4. 8 | 5. 18 |
| 6. 38 | 7. 19 | 8. 18 | 9. 69 | 10. 29 |
| 11. 28 | 12. 59 | 13. 79 | 14. 28 | 15. 18 |
| 16. 58 | 17. 19 | 18. 78 | 19. 8 | 20. 48 |
| 21. 48 | 22. 59 | 23. 69 | 24. 48 | 25. 58 |
| 26. 39 | 27. 39 | 28. 39 | 29. 28 | 30. 19 |

**Exercise S31**

| | | | | |
|---|---|---|---|---|
| 1. 9 | 2. 9 | 3. 4 | 4. 49 | 5. 7 |
| 6. 6 | 7. 19 | 8. 8 | 9. 6 | 10. 8 |
| 11. 29 | 12. 7 | 13. 9 | 14. 39 | 15. 3 |
| 16. 2 | 17. 5 | 18. 4 | 19. 5 | 20. 79 |
| 21. 29 | 22. 16 | 23. 12 | 24. 29 | 25. 24 |
| 26. 23 | 27. 18 | 28. 32 | 29. 42 | 30. 35 |

**Exercise S32**

| | | | | |
|---|---|---|---|---|
| 1. 19 | 2. 19 | 3. 14 | 4. 27 | 5. 12 |
| 6. 53 | 7. 16 | 8. 22 | 9. 15 | 10. 6 |
| 11. 18 | 12. 1 | 13. 17 | 14. 15 | 15. 14 |
| 16. 24 | 17. 17 | 18. 23 | 19. 9 | 20. 8 |
| 21. 29 | 22. 13 | 23. 26 | 24. 18 | 25. 25 |
| 26. 22 | 27. 19 | 28. 27 | 29. 3 | 30. 13 |

**Exercise S33**

| | | | | |
|---|---|---|---|---|
| 1. 24 | 2. 15 | 3. 25 | 4. 14 | 5. 7 |
| 6. 44 | 7. 27 | 8. 18 | 9. 18 | 10. 46 |
| 11. 27 | 12. 27 | 13. 5 | 14. 47 | 15. 24 |
| 16. 16 | 17. 48 | 18. 45 | 19. 16 | 20. 24 |
| 21. 15 | 22. 46 | 23. 38 | 24. 25 | 25. 2 |
| 26. 3 | 27. 22 | 28. 16 | 29. 3 | 30. 7 |

**Exercise S34**

| | | | |
|---|---|---|---|
| 1. 182 | 2. 279 | 3. 579 | 4. 357 |
| 5. 438 | 6. 407 | 7. 508 | 8. 718 |
| 9. 608 | 10. 775 | 11. 586 | 12. 597 |
| 13. 676 | 14. 748 | 15. 584 | 16. 714 |
| 17. 617 | 18. 616 | 19. 658 | 20. 618 |
| 21. 356 | 22. 469 | 23. 248 | 24. 529 |
| 25. 629 | 26. 126 | 27. 239 | 28. 372 |

**Exercise S35**

| | | | |
|---|---|---|---|
| 1. 357 | 2. 368 | 3. 658 | 4. 664 |
| 5. 454 | 6. 464 | 7. 667 | 8. 457 |
| 9. 683 | 10. 475 | 11. 588 | 12. 467 |
| 13. 558 | 14. 677 | 15. 464 | 16. 467 |
| 17. 448 | 18. 637 | 19. 483 | 20. 574 |
| 21. 645 | 22. 458 | 23. 467 | 24. 358 |
| 25. 224 | 26. 88 | 27. 164 | 28. 316 |

**Exercise S36**

| | | | |
|---|---|---|---|
| 1. 484 | 2. 575 | 3. 256 | 4. 293 |
| 5. 358 | 6. 438 | 7. 429 | 8. 115 |
| 9. 238 | 10. 176 | 11. 444 | 12. 536 |
| 13. 626 | 14. 535 | 15. 549 | 16. 291 |
| 17. 352 | 18. 453 | 19. 675 | 20. 684 |
| 21. 573 | 22. 349 | 23. 344 | 24. 392 |
| 25. 518 | 26. 357 | 27. 311 | 28. 657 |

**Exercise S37**

| | | |
|---|---|---|
| 1. 6064 | 2. 7172 | 3. 8557 |
| 4. 5246 | 5. 4546 | 6. 5624 |
| 7. 4555 | 8. 6764 | 9. 4364 |
| 10. 4876 | 11. 6663 | 12. 7876 |
| 13. 4359 | 14. 3154 | 15. 5456 |
| 16. 5269 | 17. 3995 | 18. 1994 |
| 19. 6997 | 20. 3997 | 21. 3996 |

**Exercise S38**

| | | |
|---|---|---|
| 1. 4993 | 2. 4995 | 3. 4993 |
| 4. 1996 | 5. 4998 | 6. 6997 |
| 7. 5998 | 8. 6997 | 9. 6584 |
| 10. 4083 | 11. 4183 | 12. 7583 |
| 13. 6583 | 14. 6667 | 15. 7517 |
| 16. 6267 | 17. 4996 | 18. 5755 |
| 19. 6823 | 20. 5990 | 21. 6890 |

**Exercise S39**

| | | |
|---|---|---|
| 1. 49794 | 2. 49597 | 3. 69998 |
| 4. 57899 | 5. 45799 | 6. 45799 |
| 7. 69997 | 8. 49999 | 9. 49998 |
| 10. 49998 | 11. 49992 | 12. 49791 |
| 13. 39995 | 14. 49999 | 15. 39997 |
| 16. 67399 | 17. 69005 | 18. 57063 |

**Exercise S40**

| | |
|---|---|
| 1. 2 | 17. 3 |
| 2. 3 | 18. 7 |
| 3. 5 | 19. 1 |
| 4. 9 | 20. 6 |
| 5. 1 | 21. 5 |
| 6. 7 | 22. 1 |
| 7. 4 | 23. 0 |
| 8. 8 | 24. 1 |
| 9. 6 | 25. 3 |
| 10. 0 | 26. 0 |
| 11. 3 | 27. 2 |
| 12. 4 | 28. 3 |
| 13. 7 | 29. 3 |
| 14. 2 | 30. 3 |
| 15. 0 | 31. 0 |
| 16. 2 | 32. 5 |

**Exercise S41**

| | |
|---|---|
| 1. 11 | 17. 28 |
| 2. 4 | 18. 31 |
| 3. 38 | 19. 125 |
| 4. 4 | 20. 201 |
| 5. 6 | 21. 308 |
| 6. 21 | 22. 212 |
| 7. 23 | 23. 280 |
| 8. 32 | 24. 204 |
| 9. 33 | 25. 580 |
| 10. 16 | 26. 82 |
| 11. 22 | 27. 123 |
| 12. 4 | 28. 206 |
| 13. 13 | 29. 118 |
| 14. 38 | 30. 513 |
| 15. 20 | 31. 107 |
| 16. 44 | 32. 122 |

**Exercise S42**

1. 93
2. 25
3. 746
4. 444
5. 28
6. 18
7. 35
8. 142
9. 748
10. 701
11. 758
12. 98
13. 95
14. 148
15. 256
16. 437
17. 44
18. 219
19. 91
20. 148
21. 143
22. 85
23. 1
24. 245
25. 41
26. 39
27. 119
28. 447
29. 424
30. 152
31. 193
32. 342

**Exercise S43**

1. 7
2. 1
3. 4
4. 2
5. 5
6. 8
7. 5
8. 5
9. 4
10. 2
11. 2
12. 4
13. 10
14. 3
15. 5
16. 5

**Exercise S44**

1. 16p
2. 20p
3. 13 sweets
4. 15 cm
5. 26 pages
6. 6p

**Exercise S45**

1. 2 pencils
2. 14 men
3. 9 eggs
4. £5 (pounds)
5. 3 metres
6. 4 sweets
7. 5
8. 7

**Exercise S46**

1. 2 cakes
2. 4p
3. 8 years old
4. £5
5. 6 sweets
6. 3p

**Exercise S47**

1. 4 km
2. 3 apples
3. 4 balls
4. 7 kg
5. 7 metres
6. 5
7. 5
8. 3p
9. 4 cats

**Exercise S48**

1. 3p
2. 11 cakes
3. 5 rolls
4. 50p
5. 2p
6. 1 egg
7. 3 squares
8. 3 sisters

**Exercise S49**

1. 30p
2. 20 cm
3. 40p
4. 75 pupils
5. 55p
6. 30

## Exercise S50

| [1] 1 | 6 |  | [2] 2 | [3] 4 |
|---|---|---|---|---|
| 2 |  | [4] 2 |  | 5 |
|  | [5] 1 | 0 | 0 |  |
| [6] 1 |  | 0 |  | [7] 3 |
| [8] 2 | 5 |  | [9] 7 | 5 |

## Exercise S51

| [1] 1 |  | [2] 2 | [3] 7 |  |
|---|---|---|---|---|
| 4 |  |  | [4] 5 | 2 |
|  | [5] 1 | 2 | 0 |  |
| [6] 2 | 1 |  |  | [7] 1 |
|  | [8] 8 | 3 |  | 2 |

## Exercise S52

| [1] 2 | [2] 1 | 4 |  | [3] 1 |
|---|---|---|---|---|
|  | 1 |  | [4] 5 | 1 |
| [5] 4 |  | [6] 8 |  | 5 |
| [7] 5 | 6 |  | [8] 7 |  |
| 0 |  | [9] 3 | 0 | 0 |

## Exercise S53

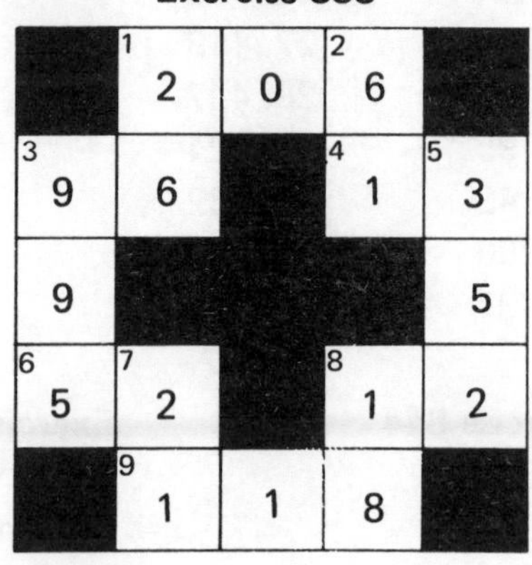

|  | [1] 2 | 0 | [2] 6 |  |
|---|---|---|---|---|
| [3] 9 | 6 |  | [4] 1 | [5] 3 |
| 9 |  |  |  | 5 |
| [6] 5 | [7] 2 |  | [8] 1 | 2 |
|  | [9] 1 | 1 | 8 |  |

## Exercise S54

| [1] 2 | [2] 4 |  | [3] 2 | 0 |  | [4] 1 | [5] 3 |
|---|---|---|---|---|---|---|---|
| [6] 5 | 0 |  | 0 |  | [7] 1 | 0 | 1 |
|  | 0 |  | [8] 3 | 5 |  |  |  |
| [9] 1 |  | [10] 4 |  |  | [11] 1 | 3 | [12] 8 |
| [13] 2 | 1 | 0 |  |  | 7 |  | 0 |
|  |  |  | [14] 2 | [15] 2 |  | [16] 1 |  |
| [17] 1 | [18] 1 | 6 |  | 0 |  | [19] 2 | [20] 2 |
| [21] 4 | 2 |  | [22] 1 | 4 |  | [23] 1 | 6 |

## PRACTICE EXAMPLES

# BASIC MULTIPLICATION

## ANSWERS

## BOOK THREE

# BASIC MULTIPLICATION
## ANSWERS

**Exercise M1**

| | | | | |
|---|---|---|---|---|
| 1. 10 | 2. 8 | 3. 12 | 4. 14 | 5. 6 |
| 6. 9 | 7. 24 | 8. 15 | 9. 21 | 10. 12 |
| 11. 24 | 12. 16 | 13. 18 | 14. 20 | 15. 22 |
| 16. 18 | 17. 27 | 18. 30 | 19. 33 | 20. 36 |
| 21. 12 | 22. 16 | 23. 28 | 24. 20 | 25. 24 |

**Exercise M2**

| | | | | |
|---|---|---|---|---|
| 1. 15 | 2. 35 | 3. 30 | 4. 25 | 5. 20 |
| 6. 32 | 7. 36 | 8. 8 | 9. 40 | 10. 48 |
| 11. 40 | 12. 45 | 13. 55 | 14. 50 | 15. 60 |
| 16. 42 | 17. 54 | 18. 30 | 19. 24 | 20. 18 |
| 21. 28 | 22. 21 | 23. 14 | 24. 35 | 25. 42 |

**Exercise M3**

| | | | | |
|---|---|---|---|---|
| 1. 72 | 2. 66 | 3. 60 | 4. 36 | 5. 48 |
| 6. 56 | 7. 70 | 8. 63 | 9. 77 | 10. 84 |
| 11. 32 | 12. 24 | 13. 40 | 14. 48 | 15. 64 |
| 16. 45 | 17. 54 | 18. 18 | 19. 63 | 20. 27 |
| 21. 72 | 22. 56 | 23. 96 | 24. 88 | 25. 80 |

**Exercise M4**

| | | | | |
|---|---|---|---|---|
| 1. 36 | 2. 72 | 3. 81 | 4. 99 | 5. 108 |
| 6. 50 | 7. 60 | 8. 80 | 9. 90 | 10. 40 |
| 11. 44 | 12. 33 | 13. 22 | 14. 66 | 15. 77 |
| 16. 70 | 17. 30 | 18. 100 | 19. 110 | 20. 120 |
| 21. 121 | 22. 110 | 23. 132 | 24. 99 | 25. 55 |

**Exercise M5**

1. 72 2. 84 3. 96 4. 48 5. 60
6. 132 7. 120 8. 144 9. 108 10. 36
11. 24 12. 26 13. 20 14. 28 15. 22
16. 46 17. 40 18. 48 19. 44 20. 42
21. 66 22. 62 23. 68 24. 60 25. 64

**Exercise M6**

1. 86 2. 88 3. 84 4. 82 5. 80
6. 102 7. 108 8. 104 9. 100 10. 106
11. 30 12. 32 13. 34 14. 36 15. 38
16. 50 17. 56 18. 52 19. 54 20. 58
21. 78 22. 76 23. 72 24. 70 25. 74

**Exercise M7**

1. 96 2. 94 3. 90 4. 92 5. 98
6. 112 7. 114 8. 116 9. 118 10. 110
11. 134 12. 132 13. 136 14. 138 15. 130
16. 42 17. 48 18. 51 19. 54 20. 57
21. 56 22. 68 23. 76 24. 72 25. 64

**Exercise M8**

1. 70 2. 95 3. 80 4. 85 5. 90
6. 114 7. 96 8. 84 9. 90 10. 102
11. 91 12. 98 13. 119 14. 105 15. 133
16. 104 17. 152 18. 136 19. 128 20. 112
21. 117 22. 135 23. 144 24. 162 25. 153

**Exercise M9**

| | | | | |
|---|---|---|---|---|
| 1. 72 | 2. 78 | 3. 81 | 4. 84 | 5. 87 |
| 6. 75 | 7. 66 | 8. 108 | 9. 104 | 10. 100 |
| 11. 112 | 12. 116 | 13. 130 | 14. 140 | 15. 145 |
| 16. 125 | 17. 162 | 18. 168 | 19. 174 | 20. 156 |
| 21. 150 | 22. 196 | 23. 203 | 24. 189 | 25. 175 |

**Exercise M10**

| | | | | |
|---|---|---|---|---|
| 1. 182 | 2. 208 | 3. 216 | 4. 224 | 5. 232 |
| 6. 192 | 7. 216 | 8. 234 | 9. 252 | 10. 261 |
| 11. 243 | 12. 102 | 13. 105 | 14. 108 | 15. 111 |
| 16. 114 | 17. 140 | 18. 144 | 19. 148 | 20. 156 |
| 21. 136 | 22. 195 | 23. 175 | 24. 180 | 25. 190 |

**Exercise M11**

| | | | | |
|---|---|---|---|---|
| 1. 222 | 2. 228 | 3. 216 | 4. 210 | 5. 234 |
| 6. 266 | 7. 252 | 8. 245 | 9. 273 | 10. 259 |
| 11. 288 | 12. 280 | 13. 296 | 14. 304 | 15. 312 |
| 16. 333 | 17. 324 | 18. 351 | 19. 315 | 20. 342 |
| 21. 132 | 22. 135 | 23. 138 | 24. 141 | 25. 144 |

**Exercise M12**

| | | | | |
|---|---|---|---|---|
| 1. 180 | 2. 192 | 3. 196 | 4. 184 | 5. 188 |
| 6. 235 | 7. 230 | 8. 240 | 9. 245 | 10. 225 |
| 11. 288 | 12. 282 | 13. 276 | 14. 294 | 15. 270 |
| 16. 343 | 17. 322 | 18. 336 | 19. 329 | 20. 315 |
| 21. 368 | 22. 360 | 23. 376 | 24. 392 | 25. 384 |

**Exercise M13**

| | | | | |
|---|---|---|---|---|
| 1. 441 | 2. 414 | 3. 423 | 4. 432 | 5. 405 |
| 6. 168 | 7. 171 | 8. 177 | 9. 174 | 10. 162 |
| 11. 228 | 12. 224 | 13. 232 | 14. 236 | 15. 216 |
| 16. 280 | 17. 285 | 18. 290 | 19. 295 | 20. 275 |
| 21. 342 | 22. 336 | 23. 348 | 24. 354 | 25. 324 |

**Exercise M14**

| | | | | |
|---|---|---|---|---|
| 1. 392 | 2. 406 | 3. 413 | 4. 385 | 5. 399 |
| 6. 464 | 7. 448 | 8. 456 | 9. 472 | 10. 440 |
| 11. 531 | 12. 504 | 13. 513 | 14. 522 | 15. 486 |
| 16. 192 | 17. 195 | 18. 201 | 19. 204 | 20. 207 |
| 21. 252 | 22. 248 | 23. 260 | 24. 264 | 25. 268 |

**Exercise M15**

| | | | | |
|---|---|---|---|---|
| 1. 330 | 2. 335 | 3. 340 | 4. 320 | 5. 325 |
| 6. 378 | 7. 402 | 8. 384 | 9. 408 | 10. 390 |
| 11. 476 | 12. 434 | 13. 441 | 14. 448 | 15. 476 |
| 16. 552 | 17. 512 | 18. 504 | 19. 544 | 20. 536 |
| 21. 576 | 22. 585 | 23. 603 | 24. 612 | 25. 621 |

**Exercise M16**

| | | | | |
|---|---|---|---|---|
| 1. 222 | 2. 228 | 3. 234 | 4. 237 | 5. 225 |
| 6. 296 | 7. 304 | 8. 312 | 9. 292 | 10. 304 |
| 11. 380 | 12. 365 | 13. 370 | 14. 390 | 15. 395 |
| 16. 432 | 17. 438 | 18. 444 | 19. 450 | 20. 456 |
| 21. 518 | 22. 511 | 23. 504 | 24. 546 | 25. 532 |

**Exercise M17**

| | | | | |
|---|---|---|---|---|
| 1. 624 | 2. 608 | 3. 576 | 4. 584 | 5. 592 |
| 6. 711 | 7. 666 | 8. 657 | 9. 684 | 10. 702 |
| 11. 249 | 12. 258 | 13. 252 | 14. 261 | 15. 255 |
| 16. 328 | 17. 344 | 18. 348 | 19. 336 | 20. 340 |
| 21. 430 | 22. 435 | 23. 440 | 24. 445 | 25. 410 |

**Exercise M18**

| | | | | |
|---|---|---|---|---|
| 1. 522 | 2. 516 | 3. 504 | 4. 510 | 5. 534 |
| 6. 602 | 7. 588 | 8. 574 | 9. 581 | 10. 602 |
| 11. 712 | 12. 664 | 13. 688 | 14. 696 | 15. 672 |
| 16. 774 | 17. 756 | 18. 738 | 19. 747 | 20. 792 |
| 21. 276 | 22. 282 | 23. 288 | 24. 285 | 25. 294 |

**Exercise M19**

| | | | | |
|---|---|---|---|---|
| 1. 384 | 2. 372 | 3. 380 | 4. 392 | 5. 376 |
| 6. 485 | 7. 480 | 8. 465 | 9. 470 | 10. 490 |
| 11. 576 | 12. 552 | 13. 564 | 14. 570 | 15. 588 |
| 16. 686 | 17. 651 | 18. 658 | 19. 672 | 20. 679 |
| 21. 768 | 22. 776 | 23. 760 | 24. 752 | 25. 744 |

**Exercise M20**

| | | | |
|---|---|---|---|
| 1. 292 | 2. 314 | 3. 338 | 4. 372 |
| 5. 552 | 6. 518 | 7. 578 | 8. 596 |
| 9. 444 | 10. 468 | 11. 501 | 12. 558 |
| 13. 807 | 14. 846 | 15. 771 | 16. 807 |
| 17. 628 | 18. 632 | 19. 712 | 20. 796 |

**Exercise M21**

| | | | |
|---|---|---|---|
| 1. 1192 | 2. 1096 | 3. 1156 | 4. 1096 |
| 5. 715 | 6. 745 | 7. 780 | 8. 845 |
| 9. 1320 | 10. 1465 | 11. 1430 | 12. 1390 |
| 13. 1188 | 14. 984 | 15. 822 | 16. 948 |
| 17. 1008 | 18. 1644 | 19. 1710 | 20. 1782 |

**Exercise M22**

| | | | |
|---|---|---|---|
| 1. 1253 | 2. 1302 | 3. 1365 | 4. 952 |
| 5. 2093 | 6. 1862 | 7. 1953 | 8. 1792 |
| 9. 1472 | 10. 1544 | 11. 1168 | 12. 1272 |
| 13. 2368 | 14. 2120 | 15. 2288 | 16. 2352 |
| 17. 1674 | 18. 1476 | 19. 1683 | 20. 1485 |

**Exercise M23**

| | | | |
|---|---|---|---|
| 1. 2484 | 2. 2385 | 3. 2331 | 4. 2421 |
| 5. 212 | 6. 624 | 7. 1236 | 8. 2035 |
| 9. 3024 | 10. 1821 | 11. 5616 | 12. 7209 |
| 13. 280 | 14. 780 | 15. 1400 | 16. 2350 |
| 17. 3540 | 18. 4410 | 19. 5760 | 20. 7290 |

**Exercise M24**

| | | | |
|---|---|---|---|
| 1. 140 | 2. 170 | 3. 180 | 4. 190 |
| 5. 210 | 6. 260 | 7. 280 | 8. 290 |
| 9. 320 | 10. 350 | 11. 360 | 12. 380 |
| 13. 460 | 14. 570 | 15. 630 | 16. 670 |
| 17. 720 | 18. 840 | 19. 960 | 20. 990 |

**Exercise M25**

| | | | |
|---|---|---|---|
| 1. 1000 | 2. 1090 | 3. 1160 | 4. 1290 |
| 5. 1460 | 6. 1530 | 7. 1790 | 8. 2680 |
| 9. 2790 | 10. 3860 | 11. 3980 | 12. 4000 |
| 13. 4650 | 14. 4780 | 15. 4860 | 16. 5000 |
| 17. 5650 | 18. 6000 | 19. 6040 | 20. 6500 |

**Exercise M26**

| | | | |
|---|---|---|---|
| 1. 176 | 2. 209 | 3. 220 | 4. 253 |
| 5. 286 | 6. 330 | 7. 385 | 8. 407 |
| 9. 528 | 10. 550 | 11. 572 | 12. 715 |
| 13. 770 | 14. 836 | 15. 858 | 16. 880 |
| 17. 946 | 18. 990 | 19. 1045 | 20. 1089 |

**Exercise M27**

| | | | |
|---|---|---|---|
| 1. 1100 | 2. 1188 | 3. 1276 | 4. 1320 |
| 5. 1386 | 6. 1430 | 7. 1452 | 8. 1540 |
| 9. 1606 | 10. 1650 | 11. 1716 | 12. 1749 |
| 13. 1771 | 14. 1859 | 15. 1870 | 16. 2299 |
| 17. 3410 | 18. 5071 | 19. 6160 | 20. 7260 |

**Exercise M28**

| | | | |
|---|---|---|---|
| 1. 6666 | 2. 8580 | 3. 7711 | 4. 8415 |
| 5. 8646 | 6. 8800 | 7. 8866 | 8. 9009 |
| 9. 9020 | 10. 9185 | 11. 9350 | 12. 9416 |
| 13. 9460 | 14. 9636 | 15. 9680 | 16. 9900 |
| 17. 10670 | 18. 10824 | 19. 10956 | 20. 10989 |

**Exercise M29**

| | | | |
|---|---|---|---|
| 1. 120 | 2. 132 | 3. 144 | 4. 156 |
| 5. 180 | 6. 192 | 7. 204 | 8. 216 |
| 9. 228 | 10. 240 | 11. 252 | 12. 276 |
| 13. 300 | 14. 324 | 15. 348 | 16. 360 |
| 17. 384 | 18. 408 | 19. 432 | 20. 456 |

**Exercise M30**

| | | | |
|---|---|---|---|
| 1. 492 | 2. 516 | 3. 540 | 4. 564 |
| 5. 588 | 6. 600 | 7. 624 | 8. 648 |
| 9. 672 | 10. 696 | 11. 732 | 12. 756 |
| 13. 780 | 14. 804 | 15. 828 | 16. 840 |
| 17. 864 | 18. 888 | 19. 912 | 20. 936 |

**Exercise M31**

| | | | |
|---|---|---|---|
| 1. 972 | 2. 996 | 3. 1020 | 4. 1044 |
| 5. 1068 | 6. 984 | 7. 1008 | 8. 1032 |
| 9. 1056 | 10. 960 | 11. 1092 | 12. 1116 |
| 13. 1140 | 14. 1164 | 15. 1188 | 16. 1104 |
| 17. 1128 | 18. 1152 | 19. 1176 | 20. 1080 |

**Exercise M32**

| | | | |
|---|---|---|---|
| 1. 143 | 2. 169 | 3. 195 | 4. 221 |
| 5. 247 | 6. 156 | 7. 182 | 8. 208 |
| 9. 234 | 10. 260 | 11. 154 | 12. 182 |
| 13. 210 | 14. 238 | 15. 266 | 16. 168 |
| 17. 196 | 18. 224 | 19. 252 | 20. 280 |

**Exercise M33**

| | | | |
|---|---|---|---|
| 1. 165 | 2. 195 | 3. 225 | 4. 255 |
| 5. 285 | 6. 180 | 7. 210 | 8. 240 |
| 9. 270 | 10. 300 | 11. 176 | 12. 208 |
| 13. 240 | 14. 272 | 15. 304 | 16. 192 |
| 17. 224 | 18. 256 | 19. 288 | 20. 320 |

**Exercise M34**

| | | | |
|---|---|---|---|
| 1. 187 | 2. 221 | 3. 255 | 4. 289 |
| 5. 323 | 6. 204 | 7. 238 | 8. 272 |
| 9. 306 | 10. 340 | 11. 198 | 12. 234 |
| 13. 270 | 14. 306 | 15. 342 | 16. 216 |
| 17. 252 | 18. 288 | 19. 324 | 20. 360 |

**Exercise M35**

| | | | |
|---|---|---|---|
| 1. 209 | 2. 247 | 3. 285 | 4. 323 |
| 5. 361 | 6. 228 | 7. 266 | 8. 304 |
| 9. 342 | 10. 380 | 11. 220 | 12. 260 |
| 13. 300 | 14. 340 | 15. 380 | 16. 240 |
| 17. 280 | 18. 320 | 19. 360 | 20. 400 |

**Exercise M36**

| | | | |
|---|---|---|---|
| 1. 231 | 2. 273 | 3. 315 | 4. 357 |
| 5. 399 | 6. 252 | 7. 294 | 8. 336 |
| 9. 378 | 10. 420 | 11. 242 | 12. 286 |
| 13. 330 | 14. 374 | 15. 418 | 16. 264 |
| 17. 308 | 18. 352 | 19. 396 | 20. 440 |

**Exercise M37**

| | | | |
|---|---|---|---|
| 1. 253 | 2. 299 | 3. 345 | 4. 391 |
| 5. 437 | 6. 276 | 7. 322 | 8. 368 |
| 9. 414 | 10. 460 | 11. 264 | 12. 312 |
| 13. 360 | 14. 408 | 15. 456 | 16. 288 |
| 17. 336 | 18. 384 | 19. 432 | 20. 480 |

**Exercise M38**

| | | | |
|---|---|---|---|
| 1. 275 | 2. 325 | 3. 375 | 4. 425 |
| 5. 475 | 6. 300 | 7. 350 | 8. 400 |
| 9. 450 | 10. 500 | 11. 286 | 12. 338 |
| 13. 390 | 14. 442 | 15. 494 | 16. 312 |
| 17. 364 | 18. 416 | 19. 468 | 20. 520 |

**Exercise M39**

| | | | |
|---|---|---|---|
| 1. 297 | 2. 351 | 3. 459 | 4. 513 |
| 5. 378 | 6. 432 | 7. 486 | 8. 364 |
| 9. 420 | 10. 476 | 11. 532 | 12. 336 |
| 13. 392 | 14. 560 | 15. 377 | 16. 435 |
| 17. 551 | 18. 348 | 19. 464 | 20. 522 |

**Exercise M40**

| | | | |
|---|---|---|---|
| 1. 546 | 2. 598 | 3. 650 | 4. 702 |
| 5. 754 | 6. 572 | 7. 624 | 8. 676 |
| 9. 728 | 10. 780 | 11. 806 | 12. 858 |
| 13. 910 | 14. 962 | 15. 1014 | 16. 832 |
| 17. 884 | 18. 936 | 19. 988 | 20. 1040 |

**Exercise M41**

| | | | |
|---|---|---|---|
| 1. 1066 | 2. 1118 | 3. 1170 | 4. 1222 |
| 5. 1274 | 6. 1092 | 7. 1144 | 8. 1196 |
| 9. 1248 | 10. 1300 | 11. 1326 | 12. 1378 |
| 13. 1430 | 14. 1482 | 15. 1534 | 16. 1352 |
| 17. 1404 | 18. 1456 | 19. 1508 | 20. 1560 |

**Exercise M42**

| | | | |
|---|---|---|---|
| 1. 1586 | 2. 1638 | 3. 1690 | 4. 1742 |
| 5. 1794 | 6. 1612 | 7. 1664 | 8. 1716 |
| 9. 1768 | 10. 1820 | 11. 1846 | 12. 1898 |
| 13. 1950 | 14. 2002 | 15. 2054 | 16. 1872 |
| 17. 1924 | 18. 1976 | 19. 2028 | 20. 2080 |

**Exercise M43**

| | | | |
|---|---|---|---|
| 1. 2106 | 2. 2158 | 3. 2210 | 4. 2262 |
| 5. 2314 | 6. 2132 | 7. 2184 | 8. 2236 |
| 9. 2288 | 10. 2340 | 11. 2366 | 12. 2418 |
| 13. 2470 | 14. 2522 | 15. 2574 | 16. 2392 |
| 17. 2444 | 18. 2496 | 19. 2548 | 20. 2600 |

**Exercise M44**

| | | | |
|---|---|---|---|
| 1. 777 | 2. 851 | 3. 925 | 4. 999 |
| 5. 1073 | 6. 814 | 7. 888 | 8. 962 |
| 9. 1036 | 10. 1110 | 11. 1147 | 12. 1221 |
| 13. 1295 | 14. 1369 | 15. 1443 | 16. 1184 |
| 17. 1258 | 18. 1332 | 19. 1406 | 20. 1480 |

**Exercise M45**

| | | | |
|---|---|---|---|
| 1. 1517 | 2. 1591 | 3. 1665 | 4. 1739 |
| 5. 1813 | 6. 1554 | 7. 1628 | 8. 1702 |
| 9. 1776 | 10. 1850 | 11. 1887 | 12. 1961 |
| 13. 2035 | 14. 2109 | 15. 2183 | 16. 1924 |
| 17. 1998 | 18. 2072 | 19. 2146 | 20. 2220 |

**Exercise M46**

| | | | |
|---|---|---|---|
| 1. 2257 | 2. 2331 | 3. 2405 | 4. 2479 |
| 5. 2553 | 6. 2294 | 7. 2368 | 8. 2442 |
| 9. 2516 | 10. 2590 | 11. 2627 | 12. 2701 |
| 13. 2775 | 14. 2849 | 15. 2923 | 16. 2664 |
| 17. 2738 | 18. 2812 | 19. 2886 | 20. 2960 |

**Exercise M47**

| | | | |
|---|---|---|---|
| 1. 2997 | 2. 3071 | 3. 3145 | 4. 3219 |
| 5. 3293 | 6. 3034 | 7. 3108 | 8. 3182 |
| 9. 3256 | 10. 3330 | 11. 3367 | 12. 3441 |
| 13. 3515 | 14. 3589 | 15. 3663 | 16. 3404 |
| 17. 3478 | 18. 3552 | 19. 3626 | 20. 3700 |

**Exercise M48**

| | | | |
|---|---|---|---|
| 1. 1008 | 2. 1104 | 3. 1200 | 4. 1296 |
| 5. 1392 | 6. 1056 | 7. 1152 | 8. 1248 |
| 9. 1344 | 10. 1440 | 11. 1488 | 12. 1584 |
| 13. 1680 | 14. 1776 | 15. 1872 | 16. 1536 |
| 17. 1632 | 18. 1728 | 19. 1824 | 20. 1920 |

**Exercise M49**

| | | | |
|---|---|---|---|
| 1. 1968 | 2. 2064 | 3. 2160 | 4. 2256 |
| 5. 2352 | 6. 2016 | 7. 2112 | 8. 2208 |
| 9. 2304 | 10. 2400 | 11. 2448 | 12. 2544 |
| 13. 2640 | 14. 2736 | 15. 2832 | 16. 2496 |
| 17. 2592 | 18. 2688 | 19. 2784 | 20. 2880 |

**Exercise M50**

| | | | |
|---|---|---|---|
| 1. 2928 | 2. 3024 | 3. 3120 | 4. 3216 |
| 5. 3312 | 6. 2976 | 7. 3072 | 8. 3168 |
| 9. 3264 | 10. 3360 | 11. 3408 | 12. 3504 |
| 13. 3600 | 14. 3696 | 15. 3792 | 16. 3456 |
| 17. 3552 | 18. 3648 | 19. 3744 | 20. 3840 |

**Exercise M51**

| | | | |
|---|---|---|---|
| 1. 3888 | 2. 3984 | 3. 4080 | 4. 4176 |
| 5. 4272 | 6. 3936 | 7. 4032 | 8. 4128 |
| 9. 4224 | 10. 4320 | 11. 4368 | 12. 4464 |
| 13. 4560 | 14. 4656 | 15. 4752 | 16. 4416 |
| 17. 4512 | 18. 4608 | 19. 4704 | 20. 4800 |

**Exercise M52**

| | | | |
|---|---|---|---|
| 1. 1239 | 2. 1357 | 3. 1475 | 4. 1593 |
| 5. 1711 | 6. 1298 | 7. 1416 | 8. 1534 |
| 9. 1652 | 10. 1770 | 11. 1829 | 12. 1947 |
| 13. 2065 | 14. 2183 | 15. 2301 | 16. 1888 |
| 17. 2006 | 18. 2124 | 19. 2242 | 20. 2360 |

**Exercise M53**

| | | | |
|---|---|---|---|
| 1. 2419 | 2. 2537 | 3. 2655 | 4. 2773 |
| 5. 2891 | 6. 2478 | 7. 2596 | 8. 2714 |
| 9. 2832 | 10. 2950 | 11. 3009 | 12. 3127 |
| 13. 3245 | 14. 3363 | 15. 3481 | 16. 3068 |
| 17. 3186 | 18. 3304 | 19. 3422 | 20. 3540 |

**Exercise M54**

| | | | |
|---|---|---|---|
| 1. 3599 | 2. 3717 | 3. 3835 | 4. 3953 |
| 5. 4071 | 6. 3658 | 7. 3776 | 8. 3894 |
| 9. 4012 | 10. 4130 | 11. 4189 | 12. 4307 |
| 13. 4425 | 14. 4543 | 15. 4661 | 16. 4248 |
| 17. 4366 | 18. 4484 | 19. 4602 | 20. 4720 |

**Exercise M55**

| | | | |
|---|---|---|---|
| 1. 4779 | 2. 4897 | 3. 5015 | 4. 5133 |
| 5. 5251 | 6. 4838 | 7. 4956 | 8. 5074 |
| 9. 5192 | 10. 5310 | 11. 5369 | 12. 5487 |
| 13. 5605 | 14. 5723 | 15. 5841 | 16. 5428 |
| 17. 5546 | 18. 5664 | 19. 5782 | 20. 5900 |

**Exercise M56**

| | | | |
|---|---|---|---|
| 1. 1302 | 2. 1426 | 3. 1550 | 4. 1674 |
| 5. 1798 | 6. 1364 | 7. 1488 | 8. 1612 |
| 9. 1736 | 10. 1860 | 11. 1922 | 12. 2046 |
| 13. 2170 | 14. 2294 | 15. 2418 | 16. 1984 |
| 17. 2108 | 18. 2232 | 19. 2356 | 20. 2480 |

**Exercise M57**

| | | | |
|---|---|---|---|
| 1. 2542 | 2. 2666 | 3. 2790 | 4. 2914 |
| 5. 3038 | 6. 2604 | 7. 2728 | 8. 2852 |
| 9. 2976 | 10. 3100 | 11. 3162 | 12. 3286 |
| 13. 3410 | 14. 3534 | 15. 3658 | 16. 3224 |
| 17. 3348 | 18. 3472 | 19. 3596 | 20. 3720 |

**Exercise M58**

| | | | |
|---|---|---|---|
| 1. 3782 | 2. 3906 | 3. 4030 | 4. 4154 |
| 5. 4278 | 6. 3844 | 7. 3968 | 8. 4092 |
| 9. 4216 | 10. 4340 | 11. 4402 | 12. 4526 |
| 13. 4650 | 14. 4774 | 15. 4898 | 16. 4464 |
| 17. 4588 | 18. 4712 | 19. 4836 | 20. 4960 |

**Exercise M59**

| | | | |
|---|---|---|---|
| 1. 5022 | 2. 5146 | 3. 5270 | 4. 5394 |
| 5. 5518 | 6. 5084 | 7. 5208 | 8. 5332 |
| 9. 5456 | 10. 5580 | 11. 5642 | 12. 5766 |
| 13. 5890 | 14. 6014 | 15. 6138 | 16. 5704 |
| 17. 5828 | 18. 5952 | 19. 6076 | 20. 6200 |

**Exercise M60**

| | | | |
|---|---|---|---|
| 1. 1533 | 2. 1679 | 3. 1825 | 4. 1971 |
| 5. 2117 | 6. 1606 | 7. 1752 | 8. 1898 |
| 9. 2044 | 10. 2190 | 11. 2263 | 12. 2409 |
| 13. 2555 | 14. 2701 | 15. 2847 | 16. 2336 |
| 17. 2482 | 18. 2628 | 19. 2774 | 20. 2920 |

**Exercise M61**

| | | | |
|---|---|---|---|
| 1. 2993 | 2. 3139 | 3. 3285 | 4. 3431 |
| 5. 3577 | 6. 3066 | 7. 3212 | 8. 3358 |
| 9. 3504 | 10. 3650 | 11. 3723 | 12. 3869 |
| 13. 4015 | 14. 4161 | 15. 4307 | 16. 3796 |
| 17. 3942 | 18. 4088 | 19. 4234 | 20. 4380 |

**Exercise M62**

| | | | |
|---|---|---|---|
| 1. 4453 | 2. 4599 | 3. 4745 | 4. 4891 |
| 5. 5037 | 6. 4526 | 7. 4672 | 8. 4818 |
| 9. 4964 | 10. 5110 | 11. 5183 | 12. 5329 |
| 13. 5475 | 14. 5621 | 15. 5767 | 16. 5256 |
| 17. 5402 | 18. 5548 | 19. 5694 | 20. 5840 |

**Exercise M63**

| | | | |
|---|---|---|---|
| 1. 5913 | 2. 6059 | 3. 6205 | 4. 6351 |
| 5. 6497 | 6. 5986 | 7. 6132 | 8. 6278 |
| 9. 6424 | 10. 6570 | 11. 6643 | 12. 6789 |
| 13. 6935 | 14. 7081 | 15. 7227 | 16. 6716 |
| 17. 6862 | 18. 7008 | 19. 7154 | 20. 7300 |

**Exercise M64**

| | | | |
|---|---|---|---|
| 1. 1764 | 2. 1932 | 3. 2100 | 4. 2268 |
| 5. 2436 | 6. 1848 | 7. 2016 | 8. 2184 |
| 9. 2352 | 10. 2520 | 11. 2604 | 12. 2772 |
| 13. 2940 | 14. 3108 | 15. 3276 | 16. 2688 |
| 17. 2856 | 18. 3024 | 19. 3192 | 20. 3360 |

**Exercise M65**

| | | | |
|---|---|---|---|
| 1. 3444 | 2. 3612 | 3. 3780 | 4. 3948 |
| 5. 4116 | 6. 3528 | 7. 3696 | 8. 3864 |
| 9. 4032 | 10. 4200 | 11. 4284 | 12. 4452 |
| 13. 4620 | 14. 4788 | 15. 4956 | 16. 4368 |
| 17. 4536 | 18. 4704 | 19. 4872 | 20. 5040 |

**Exercise M66**

| | | | |
|---|---|---|---|
| 1. 5124 | 2. 5292 | 3. 5460 | 4. 5628 |
| 5. 5796 | 6. 5208 | 7. 5376 | 8. 5544 |
| 9. 5712 | 10. 5880 | 11. 5964 | 12. 6132 |
| 13. 6300 | 14. 6468 | 15. 6636 | 16. 6048 |
| 17. 6216 | 18. 6384 | 19. 6552 | 20. 6720 |

**Exercise M67**

| | | | |
|---|---|---|---|
| 1. 6804 | 2. 6972 | 3. 7140 | 4. 7308 |
| 5. 7476 | 6. 6888 | 7. 7056 | 8. 7224 |
| 9. 7392 | 10. 7560 | 11. 7644 | 12. 7812 |
| 13. 7980 | 14. 8148 | 15. 8316 | 16. 7728 |
| 17. 7896 | 18. 8064 | 19. 8232 | 20. 8400 |

**Exercise M68**

| | | | |
|---|---|---|---|
| 1. 1995 | 2. 2185 | 3. 2375 | 4. 2565 |
| 5. 2755 | 6. 2090 | 7. 2280 | 8. 2470 |
| 9. 2660 | 10. 2850 | 11. 2945 | 12. 3135 |
| 13. 3325 | 14. 3515 | 15. 3705 | 16. 3040 |
| 17. 3230 | 18. 3420 | 19. 3610 | 20. 3800 |

**Exercise M69**

| | | | |
|---|---|---|---|
| 1. 3895 | 2. 4085 | 3. 4275 | 4. 4465 |
| 5. 4655 | 6. 3990 | 7. 4180 | 8. 4370 |
| 9. 4560 | 10. 4750 | 11. 4845 | 12. 5035 |
| 13. 5225 | 14. 5415 | 15. 5605 | 16. 4940 |
| 17. 5130 | 18. 5320 | 19. 5510 | 20. 5700 |

**Exercise M70**

| | | | |
|---|---|---|---|
| 1.1476 | 2. 1752 | 3. 1884 | 4. 2028 |
| 5. 1638 | 6. 1742 | 7. 2067 | 8. 2184 |
| 9. 1918 | 10. 2044 | 11. 2212 | 12. 2646 |
| 13. 2220 | 14. 2355 | 15. 2520 | 16. 2685 |
| 17. 1788 | 18. 1807 | 19. 2338 | 20. 2760 |

**Exercise M71**

| | | | |
|---|---|---|---|
| 1. 2384 | 2. 2528 | 3. 3024 | 4. 3120 |
| 5. 2652 | 6. 2771 | 7. 3026 | 8. 3213 |
| 9. 3222 | 10. 3330 | 11. 3456 | 12. 3564 |
| 13. 3553 | 14. 3591 | 15. 3667 | 16. 3781 |
| 17. 2608 | 18. 3298 | 19. 3528 | 20. 3743 |

**Exercise M72**

| | | | |
|---|---|---|---|
| 1. 2832 | 2. 3108 | 3. 3216 | 4. 3348 |
| 5. 3211 | 6. 3497 | 7. 3575 | 8. 3874 |
| 9. 3612 | 10. 3892 | 11. 4046 | 12. 4186 |
| 13. 3975 | 14. 3720 | 15. 4245 | 16. 4455 |
| 17. 2976 | 18. 3731 | 19. 3766 | 20. 3885 |

**Exercise M73**

| | | | |
|---|---|---|---|
| 1. 4448 | 2. 4560 | 3. 4656 | 4. 4768 |
| 5. 4539 | 6. 4692 | 7. 4573 | 8. 5049 |
| 9. 5166 | 10. 5292 | 11. 5328 | 12. 5364 |
| 13. 5396 | 14. 5491 | 15. 5643 | 16. 5681 |
| 17. 4304 | 18. 4879 | 19. 4950 | 20. 5301 |

**Exercise M74**

| | | | |
|---|---|---|---|
| 1. 4152 | 2. 4284 | 3. 4632 | 4. 4764 |
| 5. 4862 | 6. 5018 | 7. 5096 | 8. 5187 |
| 9. 5376 | 10. 5418 | 11. 5516 | 12. 5572 |
| 13. 5790 | 14. 5820 | 15. 5925 | 16. 5985 |
| 17. 3948 | 18. 4797 | 19. 5306 | 20. 5685 |

**Exercise M75**

| | | | |
|---|---|---|---|
| 1. 6,816 | 2. 7,008 | 3. 7,296 | 4. 7,472 |
| 5. 8,041 | 6. 8,228 | 7. 8,432 | 8. 8,466 |
| 9. 9,468 | 10. 9,846 | 11. 10,242 | 12. 10,404 |
| 13. 12,255 | 14. 12,787 | 15. 13,015 | 16. 13,262 |
| 17. 7,824 | 18. 7,752 | 19. 10,602 | 20. 12,521 |

**Exercise M76**

| | | | |
|---|---|---|---|
| 1. 8,808 | 2. 8,952 | 3. 9,108 | 4. 9,420 |
| 5. 10,998 | 6. 11,141 | 7. 11,297 | 8. 11,427 |
| 9. 12,418 | 10. 12,586 | 11. 13,244 | 12. 13,398 |
| 13. 14,460 | 14. 14,640 | 15. 14,805 | 16. 14,970 |
| 17. 9,168 | 18. 11,661 | 19. 13,692 | 20. 14,355 |

**Exercise M77**

| | | | |
|---|---|---|---|
| 1. 11,936 | 2. 13,744 | 3. 13,872 | 4. 15,776 |
| 5. 15,113 | 6. 15,249 | 7. 15,283 | 8. 16,082 |
| 9. 16,092 | 10. 16,182 | 11. 17,028 | 12. 17,424 |
| 13. 17,974 | 14. 18,183 | 15. 18,392 | 16. 18,753 |
| 17. 12,768 | 18. 14,875 | 19. 16,848 | 20. 18,506 |

**Exercise M78**

| | | | |
|---|---|---|---|
| 1. 5,658 | 2. 8,925 | 3. 15,336 | 4. 22,794 |
| 5. 12,036 | 6. 20,808 | 7. 29,184 | 8. 37,986 |
| 9. 19,950 | 10. 31,464 | 11. 42,192 | 12. 47,285 |
| 13. 30,051 | 14. 37,125 | 15. 50,502 | 16. 52,864 |
| 17. 14,976 | 18. 25,678 | 19. 21,870 | 20. 43,064 |

**Exercise M79**

| | | | |
|---|---|---|---|
| 1. 38,626 | 2. 44,070 | 3. 45,962 | 4. 54,993 |
| 5. 60,298 | 6. 62,775 | 7. 72,072 | 8. 74,892 |
| 9. 79,968 | 10. 83,162 | 11. 85,712 | 12. 87,576 |
| 13. 86,204 | 14. 90,820 | 15. 85,086 | 16. 98,901 |
| 17. 41,391 | 18. 61,848 | 19. 87,042 | 20. 88,071 |

**Exercise M80**

| | | | |
|---|---|---|---|
| 1. 2,691 | 2. 4,635 | 3. 8,602 | 4. 7,657 |
| 5. 6,992 | 6. 10,608 | 7. 16,996 | 8. 23,461 |
| 9. 13,398 | 10. 17,780 | 11. 22,533 | 12. 27,534 |
| 13. 24,336 | 14. 27,876 | 15. 37,976 | 16. 44,247 |
| 17. 7,362 | 18. 13,581 | 19. 26,233 | 20. 31,860 |

**Exercise M81**

1. 31,460 2. 32,778 3. 39,648 4. 46,922
5. 38,304 6. 47,235 7. 54.604 8. 55,821
9. 50,832 10. 58,765 11. 62,293 12. 66,748
13. 58,681 14. 68,510 15. 78,735 16. 80,901
17. 45,999 18. 46,085 19. 63,516 20. 77,916

**Exercise M82**

1. 3,380 2. 5,550 3. 7,820 4. 10,260
5. 8,400 6. 12,480 7. 21,280 8. 25,230
9. 15,980 10. 20,520 11. 29,230 12. 38,220
13. 22,790 14. 28,800 15. 35,250 16. 42,630
17. 4,320 18. 14,310 19. 22,750 20. 41,160

**Exercise M83**

1. 33,800 2. 36,180 3. 38,760 4. 51,620
5. 44,160 6. 42,840 7. 58,290 8. 64,170
9. 51,830 10. 55,500 11. 57,000 12. 60,840
13. 59,860 14. 63,750 15. 66,990 16. 70,310
17. 39,600 18. 41,540 19. 56,240 20. 74,820

**Exercise M84**

1. 261,304 2. 332,339 3. 381,888
4. 466,416 5. 964,636 6. 1,058,876
7. 1,405,392 8. 1,968,299 9. 2,882,152
10. 3,275,740 11. 3,721,580 12. 4,183,100
13. 4,160,000 14. 4,445,440 15. 5,860,400

**Exercise M85**

| | | |
|---|---|---|
| 1. 5,117,840 | 2. 5,707,152 | 3. 6,350,817 |
| 4. 6,773,382 | 5. 7,151,904 | 6. 7,141,600 |
| 7. 7,525,640 | 8. 7,807,710 | 9. 8,156,432 |
| 10. 7,633,556 | 11. 7,868,626 | 12. 8,080,276 |
| 13. 3,848,754 | 14. 3,008,642 | 15. 3,966,335 |

**Exercise M86**

| | |
|---|---|
| 1. 14,724 | 7. 23,970 |
| 2. 42,718 | 8. 44,464 |
| 3. 28,906 | 9. 26,676 |
| 4. 14,688 | 10. 64,080 |
| 5. 73,080 | 11. 255,642 |
| 6. 952 | 12. 36,162 |

**Exercise M87**

| | |
|---|---|
| 1. 46,656 | 7. 37,242 |
| 2. 82,236 | 8. 5,922 |
| 3. 33,696 | 9. 30,358 |
| 4. 282,609 | 10. 5,794,254 |
| 5. 253,344 | 11. 37,583 |
| 6. 174,087 | 12. 4,271,300 |

**Exercise M88**

| | | |
|---|---|---|
| 1. 23,198 | 2. 21,824 | 3. 44,514 |
| 4. 49,913 | 5. 74,704 | 6. 82,675 |
| 7. 108,216 | 8. 118,132 | 9. 139,136 |
| 10. 164,084 | 11. 173,124 | 12. 159,822 |
| 13. 269,094 | 14. 344,980 | 15. 396,704 |

**Exercise M89**

| | | |
|---|---|---|
| 1. 205,369 | 2. 224,417 | 3. 260,505 |
| 4. 283,632 | 5. 316,472 | 6. 330,275 |
| 7. 393,129 | 8. 413,590 | 9. 496,744 |
| 10. 554,840 | 11. 583,302 | 12. 618,120 |
| 13. 292,511 | 14. 570,300 | 15. 577,980 |

**Exercise M90**

| | | |
|---|---|---|
| 1. 510,192 | 2. 592,666 | 3. 555,104 |
| 4. 510,972 | 5. 609,718 | 6. 773,330 |
| 7. 774,996 | 8. 798,072 | 9. 809,809 |
| 10. 892,800 | 11. 798,285 | 12. 873,194 |
| 13. 471,120 | 14. 571,032 | 15. 873,600 |

**Exercise M91**

| | | |
|---|---|---|
| 1. 31,488 | 2. 40,310 | 3. 46,472 |
| 4. 51,408 | 5. 64,356 | 6. 70,686 |
| 7. 90,528 | 8. 102,330 | 9. 111,930 |
| 10. 139,528 | 11. 158,232 | 12. 176,382 |
| 13. 181,908 | 14. 200,340 | 15. 206,280 |

**Exercise M92**

| | | |
|---|---|---|
| 1. 194,480 | 2. 207,282 | 3. 226,233 |
| 4. 206,654 | 5. 278,168 | 6. 303,300 |
| 7. 325,680 | 8. 414,888 | 9. 508,571 |
| 10. 538,200 | 11. 583,156 | 12. 659,880 |
| 13. 731,868 | 14. 775,905 | 15. 943,602 |

**Exercise M93**

1. 12
2. 30
3. 14p
4. 24
5. 11
6. 15 sweets
7. 36
8. 21
9. 63
10. 40
11. £20
12. 80p
13. 33
14. 12p
15. 24 flowers
16. 20

**Exercise M94**

1. 30p
2. 15 eggs
3. 21 km
4. 14 pts
5. 18p
6. £6
7. £2.40

**Exercise M95**

1. 6 apples
2. 12 children
3. 60p
4. 40 feet
5. 12 shoes
6. 100 books
7. 60p

**Exercise M96**

| Missing numbers (x2) | | | |
|---|---|---|---|
| 6 | 6 | 2 | 5 |
| 10 | 8 | 2 | 10 |
| 14 | 14 | 2 | |
| 18 | 22 | 2 | |
| 24 | | | |

| Missing numbers (x3) | | | |
|---|---|---|---|
| 9 | 15 | 3 | 2 |
| 15 | 24 | 3 | 3 |
| 24 | 33 | | 4 |
| 30 | | | 6 |
| | | | 9 |

**Exercise M97**

| Missing numbers (x4) | | | | |
|---|---|---|---|---|
| 4 | 8 | 20 | 4 | 3 |
| 4 | 20 | 36 | 4 | 6 |
| | 32 | 40 | 4 | 8 |
| | 44 | | | 11 |

| Missing numbers (x5) | | | | |
|---|---|---|---|---|
| 5 | 10 | 20 | 5 | 1 |
| 5 | 20 | 40 | 5 | 5 |
| 5 | 50 | 45 | | 7 |
| 5 | | 55 | | 10 |
| | | | | 12 |

## Exercise M98

Missing numbers (x6)

| | | | | |
|---|---|---|---|---|
| 6 | 12 | 42 | 6 | 1 |
| 6 | 36 | 60 | 6 | 3 |
| 6 | 54 | | | 8 |
| | 72 | | | 11 |

Missing numbers (x7)

| | | | | |
|---|---|---|---|---|
| 7 | 7 | 21 | 7 | 2 |
| | 28 | 56 | 7 | 4 |
| | 49 | | 7 | 7 |
| | 70 | | | 10 |
| | 77 | | | |

## Exercise M99

Missing numbers (x8)

| | | | |
|---|---|---|---|
| | 16 | 8 | 2 |
| | 40 | 8 | 3 |
| | 64 | | 4 |
| | 80 | | 7 |
| | | | 10 |

Missing numbers (x9)

| | | | | |
|---|---|---|---|---|
| 9 | 18 | 36 | 9 | 5 |
| 9 | 45 | 63 | 9 | 8 |
| 9 | 72 | | | 9 |
| | 90 | | | 11 |
| | 99 | | | |

## Exercise M100

Missing numbers (x10)

| | | | |
|---|---|---|---|
| 10 | 20 | 10 | 4 |
| 10 | 30 | 10 | 5 |
| | 40 | 10 | 9 |
| | 70 | 10 | 10 |
| | 100 | | |
| | 120 | | |

Missing numbers (x11)

| | | | | |
|---|---|---|---|---|
| 11 | 22 | 33 | 11 | 1 |
| 11 | 66 | 77 | 11 | 2 |
| 11 | 99 | 110 | 11 | 8 |
| | 121 | 132 | 11 | |

## Exercise M101

Missing numbers (x12)

| | | | | |
|---|---|---|---|---|
| 12 | 12 | 24 | 12 | 3 |
| 12 | 48 | 60 | 12 | 6 |
| | 72 | | 12 | 8 |
| | 96 | | 12 | 10 |
| | 132 | | | |

## Exercise M102

| | [1] 1 | [2] 2 | 1 | |
|---|---|---|---|---|
| [3] 1 | | 5 | | [4] 1 |
| [5] 4 | 2 | | [6] 3 | 3 |
| 4 | | [7] 8 | | 2 |
| | [8] 1 | 0 | 0 | |

## Exercise M103

| [1] 8 | 4 | | [2] 6 | [3] 3 |
|---|---|---|---|---|
| 1 | | [4] 3 | | 3 |
| | [5] 1 | 2 | 0 | |
| [6] 6 | | 0 | | [7] 5 |
| [8] 4 | 8 | | [9] 2 | 6 |

## Exercise M104

| [1] 1 | 4 | [2] 4 | | [3] 2 | | [4] 2 | [5] 1 |
|---|---|---|---|---|---|---|---|
| 4 | | 0 | | [6] 2 | 4 | | 2 |
| | [7] 6 | | [8] 6 | 4 | | [9] 1 | 1 |
| [10] 1 | 3 | [11] 2 | | | [12] 5 | | |
| | | 5 | | | [13] 2 | [14] 4 | 0 |
| [15] 1 | 0 | | [16] 4 | 2 | | 8 | |
| 2 | | [17] 1 | 2 | | [18] 3 | | [19] 3 |
| [20] 2 | 4 | | 0 | | [21] 2 | 0 | 0 |

## M105 Exercise

| | [1] 1 | [2] 8 | | [3] 3 | [4] 9 | | |
|---|---|---|---|---|---|---|---|
| | [5] 2 | 0 | | | [6] 3 | [7] 3 | [8] 3 |
| [9] 4 | 0 | | | [10] 2 | | [11] 6 | 3 |
| 4 | | [12] 1 | [13] 2 | 2 | | | |
| | | | [14] 4 | 4 | 4 | | [15] 1 |
| [16] 1 | [17] 2 | | 0 | | | [18] 2 | 6 |
| [19] 3 | 6 | [20] 6 | | | [21] 2 | 2 | |
| | | [22] 4 | 8 | | [23] 4 | 2 | |

PRACTICE EXAMPLES

# BASIC DIVISION

ANSWERS

BOOK FOUR

# BASIC DIVISION
## ANSWERS

**Exercise D1**

| | | | |
|---|---|---|---|
| 1. 12 | 2. 14 | 3. 13. | 4. 11 |
| 5. 10 | 6. 11 | 7. 12 | 8. 13 |
| 9. 10 | 10. 11 | 11. 12 | 12. 10 |
| 13. 11 | 14. 10 | 15. 11 | 16. 10 |
| 17. 11 | 18. 10 | 19. 10 | 20. 11 |
| 21. 11 | 22. 10 | 23. 10 | 24. 10 |

**Exercise D2**

| | | | |
|---|---|---|---|
| 1. 21 | 2. 20 | 3. 22 | 4. 42 |
| 5. 20 | 6. 43 | 7. 22 | 8. 23 |
| 9. 23 | 10. 18 | 11. 33 | 12. 44 |
| 13. 21 | 14. 32 | 15. 21 | 16. 41 |
| 17. 24 | 18. 31 | 19. 22 | 20. 19 |
| 21. 30 | 22. 15 | 23. 17 | 24. 16 |

**Exercise D3**

| | | | |
|---|---|---|---|
| 1. 14 | 2. 12 | 3. 13 | 4. 18 |
| 5. 19 | 6. 13 | 7. 17 | 8. 17 |
| 9. 15 | 10. 14 | 11. 13 | 12. 14 |
| 13. 15 | 14. 16 | 15. 18 | 16. 16 |
| 17. 15 | 18. 14 | 19. 14 | 20. 15 |
| 21. 12 | 22. 12 | 23. 13 | 24. 17 |

**Exercise D4**

| | | | |
|---|---|---|---|
| 1. 17 r.1 | 2. 18 r.1 | 3. 16 r.1 | 4. 19 r.1 |
| 5. 11 r.1 | 6. 11 r.2 | 7. 12 r.1 | 8. 11 r.1 |
| 9. 11 r.1 | 10. 11 r.1 | 11. 11 r.1 | 12. 11 r.1 |
| 13. 16 r.1 | 14. 17 r.1 | 15. 19 r.1 | 16. 18 r.2 |
| 17. 14 r.2 | 18. 16 r.1 | 19. 15 r.1 | 20. 17 r.1 |
| 21. 15 r.3 | 22. 15 r.4 | 23. 14 r.3 | 24. 14 r.5 |
| 25. 12 r.2 | 26. 10 r.1 | 27. 11 r.5 | 28. 11 r.3 |

**Exercise D5**

| | | |
|---|---|---|
| 1. 169 | 2. 168 | 3. 179 |
| 4. 187 | 5. 177 | 6. 198 |
| 7. 188 | 8. 196 | 9. 287 |
| 10. 298 | 11. 267 | 12. 278 |
| 13. 295 | 14. 276 | 15. 287 |
| 16. 387 | 17. 368 | 18. 376 |
| 19. 375 | 20. 356 | 21. 378 |
| 22. 396 | 23. 366 | 24. 488 |
| 25. 499 | 26. 489 | 27. 458 |

**Exercise D6**

| | | |
|---|---|---|
| 1. 158 | 2. 164 | 3. 137 |
| 4. 158 | 5. 155 | 6. 156 |
| 7. 144 | 8. 149 | 9. 184 |
| 10. 238 | 11. 246 | 12. 251 |
| 13. 257 | 14. 264 | 15. 256 |
| 16. 234 | 17. 239 | 18. 197 |
| 19. 182 | 20. 187 | 21. 194 |
| 22. 196 | 23. 168 | 24. 169 |
| 25. 171 | 26. 176 | 27. 177 |

**Exercise D7**

| | | |
|---|---|---|
| 1. 144 | 2. 149 | 3. 134 |
| 4. 146 | 5. 126 | 6. 127 |
| 7. 129 | 8. 138 | 9. 154 |
| 10. 158 | 11. 174 | 12. 163 |
| 13. 173 | 14. 169 | 15. 159 |
| 16. 153 | 17. 193 | 18. 198 |
| 19. 183 | 20. 176 | 21. 184 |
| 22. 189 | 23. 194 | 24. 195 |
| 25. 243 | 26. 249 | 27. 238 |

**Exercise D8**

| | | |
|---|---|---|
| 1. 135 | 2. 127 | 3. 137 |
| 4. 138 | 5. 126 | 6. 129 |
| 7. 123 | 8. 125 | 9. 148 |
| 10. 153 | 11. 144 | 12. 158 |
| 13. 142 | 14. 156 | 15. 145 |
| 16. 153 | 17. 169 | 18. 173 |
| 19. 177 | 20. 175 | 21. 172 |
| 22. 163 | 23. 171 | 24. 178 |
| 25. 193 | 26. 196 | 27. 199 |

**Exercise D9**

| | | |
|---|---|---|
| 1. 123 | 2. 124 | 3. 126 |
| 4. 127 | 5. 122 | 6. 128 |
| 7. 129 | 8. 143 | 9. 138 |
| 10. 144 | 11. 149 | 12. 145 |
| 13. 148 | 14. 136 | 15. 139 |
| 16. 163 | 17. 153 | 18. 154 |
| 19. 165 | 20. 164 | 21. 162 |
| 22. 156 | 23. 158 | 24. 128 |
| 25. 146 | 26. 151 | 27. 142 |

**Exercise D10**

| | | |
|---|---|---|
| 1. 118 | 2. 119 | 3. 122 |
| 4. 125 | 5. 116 | 6. 127 |
| 7. 123 | 8. 128 | 9. 132 |
| 10. 134 | 11. 138 | 12. 135 |
| 13. 142 | 14. 137 | 15. 139 |
| 16. 140 | 17. 120 | 18. 124 |
| 19. 126 | 20. 129 | 21. 123 |
| 22. 131 | 23. 133 | 24. 136 |
| 25. 141 | 26. 137 | 27. 142 |

**Exercise D11**

| | | |
|---|---|---|
| 1. 114 | 2. 116 | 3. 118 |
| 4. 123 | 5. 102 | 6. 113 |
| 7. 117 | 8. 124 | 9. 104 |
| 10. 109 | 11. 122 | 12. 107 |
| 13. 121 | 14. 108 | 15. 101 |
| 16. 120 | 17. 112 | 18. 105 |
| 19. 119 | 20. 99 | 21. 110 |
| 22. 106 | 23. 111 | 24. 103 |
| 25. 98 | 26. 124 | 27. 113 |

**Exercise D12**

| | | |
|---|---|---|
| 1. 89 | 2. 98 | 3. 78 |
| 4. 99 | 5. 97 | 6. 87 |
| 7. 94 | 8. 85 | 9. 83 |
| 10. 86 | 11. 89 | 12. 98 |
| 13. 93 | 14. 95 | 15. 99 |
| 16. 97 | 17. 98 | 18. 87 |
| 19. 94 | 20. 96 | 21. 92 |
| 22. 93 | 23. 98 | 24. 99 |
| 25. 91 | 26. 95 | 27. 96 |

**Exercise D13**

| | | |
|---|---|---|
| 1. 77 | 2. 87 | 3. 91 |
| 4. 94 | 5. 93 | 6. 91 |
| 7. 91 | 8. 94 | 9. 85 |
| 10. 89 | 11. 72 | 12. 76 |
| 13. 73 | 14. 77 | 15. 75 |
| 16. 92 | 17. 94 | 18. 97 |
| 19. 97 | 20. 78 | 21. 95 |
| 22. 94 | 23. 74 | 24. 99 |
| 25. 93 | 26. 122 | 27. 126 |

**Exercise D14**

| | | |
|---|---|---|
| 1. 80 r.1 | 2. 95 r.1 | 3. 70 r.1 |
| 4. 80 r.1 | 5. 80 r.3 | 6. 90 r.2 |
| 7. 60 r.3 | 8. 70 r.1 | 9. 90 r.4 |
| 10. 50 r.3 | 11. 70 r.2 | 12. 60 r.2 |
| 13. 60 r.4 | 14. 70 r.4 | 15. 90 r.3 |
| 16. 83 r.3 | 17. 70 r.3 | 18. 90 r.4 |
| 19. 70 r.2 | 20. 80 r.3 | 21. 70 r.4 |
| 22. 40 r.5 | 23. 90 r.4 | 24. 30 r.2 |
| 25. 80 r.6 | 26. 80 r.5 | 27. 50 r.1 |

**Exercise D15**

| | | |
|---|---|---|
| 1. 1599 r.1 | 2. 2897 r.1 | 3. 3978 |
| 4. 1657 r.1 | 5. 1928 | 6. 2847 r.2 |
| 7. 1746 | 8. 1986 r.2 | 9. 2463 r.2 |
| 10. 1589 r.1 | 11. 1692 r.2 | 12. 1485 r.2 |
| 13. 1310 r.5 | 14. 1431 r.4 | 15. 1562 r.2 |
| 16. 1203 r.5 | 17. 1355 r.1 | 18. 1236 r.5 |
| 19. 1243 r.2 | 20. 1220 r.4 | 21. 1249 r.7 |
| 22. 1247 r.4 | 23. 2466 r.3 | 24. 1901 r.1 |

**Exercise D16**

| | | |
|---|---|---|
| 1. 582 | 2. 892 | 3. 898 |
| 4. 654 r.2 | 5. 991 r.1 | 6. 948 r.2 |
| 7. 716 r.1 | 8. 474 | 9. 891 |
| 10. 553 | 11. 775 r.1 | 12. 991 r.2 |
| 13. 624 r.4 | 14. 811 r.3 | 15. 982 |
| 16. 556 r.2 | 17. 694 r.6 | 18. 825 r.1 |
| 19. 741 r.6 | 20. 873 | 21. 970 r.2 |
| 22. 749 r.2 | 23. 840 r.7 | 24. 999 r.5 |
| 25. 724 r.7 | 26. 724 r.3 | 27. 791 r.5 |

**Exercise D17**

| | | |
|---|---|---|
| 1. 802 r.1 | 2. 903 r.1 | 3. 700 r.1 |
| 4. 702 r.1 | 5. 901 r.2 | 6. 800 r.2 |
| 7. 802 r.1 | 8. 901 r.3 | 9. 600 r.3 |
| 10. 901 r.4 | 11. 701 r.3 | 12. 500 r.2 |
| 13. 601 r.1 | 14. 701 r.2 | 15. 800 r.5 |
| 16. 701 | 17. 801 r.1 | 18. 900 r.3 |
| 19. 900 r.4 | 20. 801 r.1 | 21. 801 |
| 22. 200 r.4 | 23. 800 r.6 | 24. 900 r.8 |
| 25. 1185 r.6 | 26. 1500 r.1 | 27 700 r.2 |

**Exercise D18**

| | |
|---|---|
| 1. 1,860 r.4 | 2. 2,930 r.2 |
| 3. 49,603 r.1 | 4. 29,701 r.1 |
| 5. 2,440 r.2 | 6. 17,400 r.2 |
| 7. 14,301 r.3 | 8. 16,401 r.1 |
| 9. 23,350 r.2 | 10. 13,101 |
| 11. 14,501 r.3 | 12. 17,000 r.2 |
| 13. 12,200 r.2 | 14. 14,217 r.5 |
| 15. 16,201 | 16. 12,200 r.6 |
| 17. 12,801 | 18. 12,001 r.2 |
| 19. 12,300 r.1 | 20. 11,426 |

**Exercise D19**

| | |
|---|---|
| 1. 9,900 r.1 | 2. 8,802 r.1 |
| 3. 9,600 | 4. 9,400 r.1 |
| 5. 6,401 | 6. 6,802 r.2 |
| 7. 8,300 r.3 | 8. 17,301 r.2 |
| 9. 9,300 r.2 | 10. 9,301 |
| 11. 7,700 r.2 | 12. 9,402 |
| 13. 8,800 r.2 | 14. 6,201 r.3 |
| 15. 6,500 r.5 | 16. 9,200 r.3 |
| 17. 5,301 r.1 | 18. 8,500 |
| 19. 8,300 r.3 | 20. 9,801 r.1 |

**Exercise D20**

| | |
|---|---|
| 1. 1,245 r.5 | 2. 9,902 |
| 3. 9,964 | 4. 9,640 r.4 |
| 5. 7,220 r.6 | 6. 8,402 r.1 |
| 7. 7,238 r.3 | 8. 8,321 r.2 |
| 9. 4,342 r.8 | 10. 2,248 r.2 |
| 11. 6,566 | 12. 12,493 r.2 |
| 13. 6,248 r.2 | 14. 8,658 |
| 15. 2,413 r.5 | 16. 5,655 r.5 |
| 17. 8,425 r.2 | 18. 9,700 r.1 |
| 19. 1,535 r.1 | 20. 8,302 r.1 |

**Exercise D21**

| | |
|---|---|
| 1. 7,346 r.2 | 2. 6,473 r.1 |
| 3. 8,953 r.1 | 4. 7,441 r.6 |
| 5. 8,431 r.7 | 6. 6,576 r.3 |
| 7. 7,641 r.7 | 8. 9,653 r.2 |
| 9. 8,316 r.4 | 10. 7,653 r.2 |
| 11. 6,347 r.6 | 12. 8,943 r.1 |
| 13. 3,476 r.2 | 14. 8,010 |
| 15. 7,653 | 16. 6,401 |
| 17. 6,700 | 18. 3,934 r.1 |
| 19. 6,642 r.7 | 20. 6,100 |

**Exercise D22**

1. 7,240 r.1
2. 9,003 r.8
3. 6,331 r.1
4. 5,426 r.8
5. 3,604 r.8
6. 5,175 r.9
7. 3,604 r.10
8. 4,512 r.2
9. 7,060 r.4
10. 8,081 r.3
11. 7,204 r.5
12. 6,324
13. 9,007 r.2
14. 8,162 r.2
15. 7,244
16. 5,433 r.1
17. 7,203 r.6
18. 8,100 r.4
19. 4,500 r.6
20. 7,000 r.6

**Exercise D23**

1. 7,110 r.11
2. 6,224 r.10
3. 5,321
4. 8,112 r.2
5. 8,320 r.6
6. 6,630 r.4
7. 7,495 r.2
8. 6,578 r.6
9. 4,665 r.6
10. 7,200 r.7
11. 6,220 r.3
12. 4,910 r.3
13. 1,411 r.2
14. 2,423 r.3
15. 7,211
16. 7,453 r.1
17. 7,031
18. 3,081
19. 4,062 r.4
20. 8,071 r.1

**Exercise D24**

1. 13 r.5
2. 14 r.4
3. 11 r.7
4. 11 r.17
5. 12 r.17
6. 13 r.14
7. 10 r.19
8. 11 r.19
9. 12 r.18
10. 13 r.7
11. 10 r.10
12. 13 r.3
13. 12 r.4
14. 12 r.9
15. 14 r.5
16. 11 r.4
17. 13 r.16
18. 11 r.15

**Exercise D25**

1. 21 r.15
2. 22 r.17
3. 23 r.14
4. 20 r.16
5. 21 r.7
6. 22 r.7
7. 23 r.3
8. 20 r.9
9. 21 r.9
10. 22 r.9
11. 22 r.20
12. 20 r.1
13. 31 r.1
14. 32 r.2
15. 33 r.6
16. 30 r.6
17. 30 r.18
18. 31 r.18
19. 32 r.15
20. 29 r.18
21. 30 r.20
22. 32
23. 32 r.8
24. 32 r.13
25. 30 r.10
26. 32 r.7
27. 30 r.9

**Exercise D26**

1. 40 r.15
2. 41 r.13
3. 42 r.16
4. 39 r.18
5. 40 r.7
6. 41 r.7
7. 42 r.5
8. 39 r.10
9. 40 r.10
10. 41 r.10
11. 42 r.3
12. 42
13. 17 r.1
14. 18
15. 18 r.20
16. 16 r.3
17. 16 r.10
18. 17 r.12
19. 18 r.8
20. 15 r.9
21. 16 r.14
22. 17 r.13
23. 18 r.2
24. 20
25. 21 r.8
26. 21 r.17
27. 21 r.19

**Exercise D27**

1. 26 r.13
2. 28 r.9
3. 25 r.11
4. 25 r.20
5. 27 r.1
6. 27 r.18
7. 26 r.4
8. 27 r.6
9. 27 r.14
10. 36 r.2
11. 37 r.1
12. 37 r.19
13. 35 r.3
14. 35 r.10
15. 36 r.12
16. 37 r.9
17. 35 r.16
18. 37 r.4
19. 45 r.13
20. 46 r.13
21. 47 r.8
22. 44 r.13
23. 46 r.2
24. 46 r.20
25. 44 r.2
26. 45 r.7
27. 46 r.16

**Exercise D28**

1.

| | | |
|---|---|---|
| | | 93 |
| | 155 | |
| 217 | 248 | |

2. 11 r.8
3. 12 r.15
4. 12 r.24
5. 11 r.13
6. 12 r.18
7. 12 r.2
8. 10 r.26
9. 11 r.23
10. 12 r.10
11. 20 r.24
12. 21 r.24
13. 21 r.1
14. 22 r.6
15. 20 r.15
16. 21 r.14
17. 22 r.15
18. 20 r.3
19. 22 r.15

## Exercise D29

| | | |
|---|---|---|
| 1. 23 r.13 | 2. 24 r.4 | 3. 24 r.20 |
| 4. 24 r.30 | 5. 25 r.11 | 6. 25 r.15 |
| 7. 26 r.4 | 8. 27 r.4 | 9. 27 r.17 |
| 10. 27 r.29 | 11. 27 r.29 | 12. 28 r.8 |
| 13. 28 r.16 | 14. 28 r.22 | 15. 29 r.1 |
| 16. 29 r.26 | 17. 30 r.6 | 18. 30 r.19 |
| 19. 30 r.24 | 20. 31 r.1 | 21. 31 r.9 |
| 22. 31 r.15 | 23. 31 r.19 | 24. 31 r.26 |
| 25. 31 r.29 | 26. 32 r.4 | 27. 32 r.7 |

## Exercise D30

1.

| | | |
|---|---|---|
| | 82 | |
| 164 | 205 | |
| | 328 | 369 |

| | | |
|---|---|---|
| 2. 11 r.23 | 3. 12 r.3 | 4. 11 r.17 |
| 5. 10 r.39 | 6. 11 r.38 | 7. 12 r.5 |
| 8. 11 r.39 | 9. 11 r.14 | 10. 12 r.6 |
| 11. 20 r.34 | 12. 21 r.35 | 13. 21 r.33 |
| 14. 21 r.3 | 15. 20 r.26 | 16. 21 r.28 |
| 17. 21 r.36 | 18. 20 r.22 | 19. 21 r.15 |
| 20. 21 r.21 | 21. 20 r.18 | 22. 21 r.18 |

## Exercise D31

1.

| | | |
|---|---|---|
| | 102 | 153 |
| | 255 | 306 |
| 357 | 408 | 459 |

| | | |
|---|---|---|
| 2. 11 r.17 | 3. 11 r.26 | 4. 11 r.37 |
| 5. 12 r.42 | 6. 11 r.8 | 7. 13 r.15 |
| 8. 13 r.26 | 9. 15 r.31 | 10. 17 r.13 |
| 11. 18 r.11 | 12. 10 r.28 | 13. 11 r.25 |
| 14. 11 r.29 | 15. 15 r.19 | 16. 16 r.9 |
| 17. 18 r.38 | 18. 15 r.35 | 19. 17 r.33 |

## Exercise D32

1.

| 61 | 122 | 183 |
|---|---|---|
| 244 | 305 | 366 |
| | 488 | 549 |

2. 11 r.18
3. 11 r.23
4. 10 r.38
5. 12 r.14
6. 12 r.10
7. 13 r.56
8. 14 r.5
9. 15 r.44
10. 16 r.8
11. 16 r.16
12. 14 r.46
13. 13 r.5
14. 13 r.7
15. 15 r.15
16. 11 r.29

## Exercise D33

1.

| 71 | 142 | |
|---|---|---|
| 284 | 355 | 426 |
| 497 | | 639 |

2. 11 r.6
3. 12 r.6
4. 10 r.70
5. 11 r.23
6. 11 r.15
7. 12 r.38
8. 12 r.47
9. 13 r.19
10. 13 r.30
11. 13 r.55
12. 14 r.5
13. 12 r.28
14. 12 r.9
15. 11 r.45
16. 10 r.51

## Exercise D34

1.

| 81 | 162 | 243 |
|---|---|---|
| | 405 | 486 |
| 567 | 648 | 729 |

2. 11 r.6
3. 11 r.8
4. 10 r.70
5. 11 r.13
6. 11 r.17
7. 12 r.14
8. 12 r.27
9. 11 r.9
10. 11 r.55
11. 11 r.26
12. 12
13. 11 r.70
14. 11 r.37
15. 11 r.51
16. 11 r.44

## Exercise D35

1.

| | | |
|---|---|---|
| 32 | 64 | |
| 128 | 160 | 192 |
| 224 | | 288 |

2. 11 r.17
3. 11 r.26
4. 12 r.5
5. 21 r.6
6. 20 r.10
7. 21 r.6
8. 20 r.29
9. 23 r.13
10. 24
11. 24 r.9
12. 17 r.20
13. 20 r.7
14. 18 r.10
15. 14 r.9
16. 17 r.2

## Exercise D36

1.

| | | |
|---|---|---|
| 42 | 84 | 126 |
| | 210 | 252 |
| 294 | 336 | |

2. 11 r.17
3. 11 r.25
4. 11 r.37
5. 12 r.14
6. 13 r.18
7. 14 r.1
8. 14 r.21
9. 17 r.1
10. 20 r.28
11. 21 r.24
12. 20 r.17
13. 10 r.10
14. 19 r.1
15. 14 r.12
16. 19 r.2

## Exercise D37

1.

| | | |
|---|---|---|
| 52 | | 156 |
| 208 | 260 | 312 |
| | 416 | 468 |

2. 11 r.7
3. 11 r.18
4. 11 r.28
5. 12 r.4
6. 13 r.3
7. 14 r.1
8. 15 r.9
9. 15 r.10
10. 17 r.12
11. 18 r.21
12. 18 r.51
13. 13 r.12
14. 15 r.20
15. 17 r.16
16. 13 r.24

**Exercise D38**

1.

| | | |
|---|---|---|
| 62 | 124 | |
| 248 | 310 | 372 |
| | 496 | 558 |

2. 11 r.5
3. 11 r.8
4. 11 r.22
5. 11 r.52
6. 12 r.12
7. 12 r.55
8. 13 r.31
9. 14 r.8
10. 14 r.32
11. 15 r.46
12. 16 r.7
13. 10 r.14
14. 13 r.14
15. 14 r.22
16. 15 r.10

**Exercise D39**

1.

| | | |
|---|---|---|
| 72 | 144 | 216 |
| 288 | | 432 |
| 504 | 576 | |

2. 11 r.2
3. 11 r.14
4. 11 r.37
5. 12 r.30
6. 12 r.46
7. 13 r.62
8. 12 r.40
9. 13 r.26
10. 13 r.23
11. 13 r.55
12. 9 r.68
13. 10 r.26
14. 12
15. 12 r.16
16. 12 r.10

**Exercise D40**

1.

| | | |
|---|---|---|
| 82 | 164 | 246 |
| 328 | | 492 |
| 574 | 656 | 738 |

2. 11 r.4
3. 11 r.41
4. 11 r.52
5. 11 r.27
6. 12 r.6
7. 11 r.35
8. 12 r.15
9. 11 r.17
10. 10 r.60
11. 12 r.80
12. 14 r.46
13. 20 r.54
14. 32 r.70
15. 46 r.10
16. 60 r.4

## Exercise D41

1.

| 43 | 86 | |
|---|---|---|
| 172 | 215 | 258 |
| | 344 | 387 |

2. 11 r.3
3. 11 r.25
4. 13 r.5
5. 15 r.2
6. 17 r.34
7. 18 r.25
8. 19 r.29
9. 20 r.38
10. 22
11. 20 r.16
12. 20 r.34
13. 20 r.29
14. 10 r.16
15. 11 r.27
16. 12 r.26

## Exercise D42

1.

| 54 | | 162 |
|---|---|---|
| 216 | 270 | 324 |
| | 432 | 486 |

2. 11 r.5
3. 15 r.50
4. 11 r.10
5. 14 r.45
6. 12 r.46
7. 14 r.33
8. 16 r.30
9. 16 r.40
10. 17 r.28
11. 18 r.17
12. 17 r.12
13. 12 r.3
14. 20 r.14
15. 21 r.52
16. 25 r.37

## Exercise D43

1.

| 65 | 130 | 195 |
|---|---|---|
| 260 | 325 | 390 |
| 455 | | 585 |

2. 11 r.39
3. 12 r.20
4. 13 r.18
5. 13 r.55
6. 14 r.14
7. 14 r.46
8. 15 r.1
9. 15 r.5
10. 15 r.24
11. 10 r.44
12. 10 r.50
13. 11 r.25
14. 12 r.51
15. 19 r.5
16. 20 r.6

**Exercise D44**

1.

| 75 | 150 | 225 |
|---|---|---|
| | 375 | 450 |
| 525 | 600 | 675 |

2. 11 r.29
3. 12 r.42
4. 10 r.44
5. 10 r.50
6. 11 r.57
7. 11 r.73
8. 12 r.1
9. 12 r.45
10. 13 r.3
11. 10 r.10
12. 11 r.25
13. 12 r.31
14. 13 r.23
15. 19 r.1
16. 20 r.42

**Exercise D45**

1.

| 87 | | 261 |
|---|---|---|
| 348 | 435 | |
| | 696 | 783 |

2. 11 r.27
3. 11 r.41
4. 10 r.14
5. 10 r.22
6. 12 r.2
7. 16 r.76
8. 22 r.50
9. 30 r.32
10. 42 r.30
11. 87 r.73
12. 63 r.12
13. 76 r.30
14. 90 r.34
15. 102 r.69
16. 103 r.39

**Exercise D46**

1.

| 98 | 196 | |
|---|---|---|
| 392 | 490 | 588 |
| | | 882 |

2. 11 r.16
3. 10 r.2
4. 46 r.34
5. 11 r.86
6. 22 r.6
7. 20 r.24
8. 39 r.52
9. 57 r.56
10. 77 r.96
11. 87 r.16
12. 98
13. 100 r.11
14. 101 r.18
15. 70 r.87
16. 36 r.36

## Exercise D47

1.

| 45 | | 135 |
|---|---|---|
| | 225 | 270 |
| 315 | 360 | |

| | | |
|---|---|---|
| 2. 112 r.24 | 3. 109 r.35 | 4. 121 r.17 |
| 5. 142 r.37 | 6. 169 r.37 | 7. 181 r.17 |
| 8. 189 r.29 | 9. 216 r.42 | 10. 209 r.11 |
| 11. 207 r.31 | 12. 210 r.12 | 13. 202 r.16 |
| 14. 205 r.12 | 15. 104 r.26 | 16. 112 r.24 |

## Exercise D48

1.

| | 112 | 168 |
|---|---|---|
| 224 | | 336 |
| 392 | 448 | |

| | | |
|---|---|---|
| 2. 112 r.22 | 3. 131 r.48 | 4. 106 r.10 |
| 5. 132 r.34 | 6. 151 r.8 | 7. 160 r.32 |
| 8. 101 r.52 | 9. 105 r.47 | 10. 107 r.54 |
| 11. 110 r.18 | 12. 82 r.38 | 13. 75 r.13 |
| 14. 90 r.16 | 15. 51 r.3 | 16. 41 r.53 |

## Exercise D49

1.

| 67 | 134 | |
|---|---|---|
| | 335 | 402 |
| 469 | | 603 |

| | | |
|---|---|---|
| 2. 110 r.24 | 3. 126 | 4. 138 r.38 |
| 5. 145 r.27 | 6. 103 r.33 | 7. 148 r.26 |
| 8. 24 r.66 | 9. 36 r.52 | 10. 30 r.36 |
| 11. 42 r.60 | 12. 74 r.6 | 13. 101 r.37 |
| 14. 80 r.16 | 15. 31 r.2 | 16. 40 r.14 |

**Exercise D50**

1.

| | | |
|---|---|---|
| 78 | 156 | 234 |
| | 390 | 468 |
| 546 | 624 | |

2. 112 r.6
3. 117 r.38
4. 114 r.72
5. 13 r.30
6. 33 r.69
7. 70 r.4
8. 81 r.24
9. 101 r.46
10. 103 r.12
11. 108 r.49
12. 113 r.30
13. 115 r.34
14. 118 r.2
15. 90 r.23
16. 100 r.17

**Exercise D51**

1.

| | | |
|---|---|---|
| 89 | | 267 |
| 356 | 445 | 534 |
| | 712 | |

2. 111 r.63
3. 112 r.21
4. 110
5. 83 r.39
6. 70 r.74
7. 76 r.37
8. 58 r.79
9. 20 r.11
10. 26 r.32
11. 50 r.6
12. 60 r.27
13. 90 r.10
14. 70 r.17
15. 100 r.9
16. 50 r.12

**Exercise D52**

1. 133
2. 122
3. 130
4. 351
5. 284
6. 122
7. 102
8. 13
9. 164
10. 102
11. 151
12. 166
13. 62
14. 22
15. 244

**Exercise D53**

| | |
|---|---|
| 1. 134 r.4 | 2. 142 r.5 |
| 3. 149 | 4. 101 r.3 |
| 5. 91 r.1 | 6. 105 r.2 |
| 7. 230 r.1 | 8. 120 r.1 |

**Exercise D54**

| | | |
|---|---|---|
| 1. 5 | 13. 4 | 25. 5 |
| 2. 5 | 14. 7 | 26. 2 |
| 3. 2 | 15. 15 | 27. 8 |
| 4. 3 | 16. 6 | 28. 4 |
| 5. 2 | 17. 11 | 29. 8 |
| 6. 3 | 18. 5 | 30. 9 |
| 7. 5 | 19. 4 | 31. 3 |
| 8. 3 | 20. 4 | 32. 11 |
| 9. 16 | 21. 5 | 33. 5 |
| 10. 4 | 22. 12 | 34. 13 |
| 11. 8 | 23. 5 | 35. 20 |
| 12. 3 | 24. 4 | 36. 7 |

| Exercise D55 | Exercise D56 | Exercise D57 | Exercise D58 |
|---|---|---|---|
| 1. 4 | 1. 3 | 1. 4 | 1. 6 |
| 2. 3 | 2. 6 | 2. 24p | 2. 5 |
| 3. 4 | 3. 5p | 3. 3 | 3. 3 |
| 4. 6 | 4. 4 | 4. 5 | 4. 8 km |
| 5. 16 | 5. 10p | 5. 43p | 5. 24 |
| 6. 3 | 6. 3 | 6. 9 | 6. 25 km |
| 7. 3 hrs | 7. 7 | 7. 6 | 7. 12 |
| 8. 12 | 8. 30 mins | 8. 8 | 8. 6 |
| 9. 6 | 9. £20 | 9. 8 | |
| | 10. 8 | 10. 12p | |
| | 11. 2 | | |

## Exercise D59

| | | | | |
|---|---|---|---|---|
| [1] 1 | [2] 2 | | [3] 1 | [4] 5 |
| [5] 3 | 0 | | [6] 2 | 2 |
| | | [7] 9 | | |
| [8] 1 | [9] 1 | | [10] 3 | [11] 1 |
| [12] 6 | 0 | | [13] 2 | 4 |

## Exercise D60

| | | | | |
|---|---|---|---|---|
| | [1] 1 | [2] 1 | 0 | |
| [3] 1 | | 7 | | [4] 2 |
| [5] 2 | 7 | | [6] 1 | 5 |
| 5 | | [7] 4 | | 0 |
| | [8] 5 | 0 | 0 | |

## Exercise D61

| | | | | | | | |
|---|---|---|---|---|---|---|---|
| [1] 1 | [2] 2 | | [3] 1 | | [4] 2 | | [5] 1 |
| | [6] 1 | 0 | 0 | | [7] 1 | [8] 3 | 1 |
| [9] 1 | 2 | | [10] 8 | 0 | | 5 | |
| | | [11] 3 | | | [12] 1 | 0 | 6 |
| [13] 1 | [14] 2 | 8 | | | 5 | | |
| | 0 | | [15] 2 | [16] 1 | | [17] 4 | 0 |
| [18] 2 | 0 | [19] 6 | | [20] 5 | 0 | 0 | |
| 2 | | 1 | | 0 | | [21] 2 | 5 |

## Exercise D62

| | | | | | | | |
|---|---|---|---|---|---|---|---|
| | [1] 1 | | [2] 1 | 5 | | | |
| | [3] 1 | [4] 1 | 6 | | [5] 1 | [6] 1 | 5 |
| | [7] 2 | 0 | | [8] 1 | 2 | 3 | |
| [9] 2 | | [10] 3 | [11] 1 | 2 | | [12] 2 | [13] 3 |
| [14] 2 | [15] 1 | | [16] 2 | 1 | [17] 3 | | 6 |
| | [18] 2 | [19] 1 | 5 | | [20] 1 | [21] 2 | |
| [22] 4 | 0 | 0 | | [23] 1 | 2 | 5 | |
| | | | [24] 2 | 4 | | 0 | |

# REVISION EXERCISES
## AND
# PUZZLES

## ANSWERS

## BOOK FIVE

# REVISION EXERCISES AND PUZZLES

## ANSWERS

Level 1, Exercises A-E

Level 2, Exercises A-E

Level 3, Exercises A-E

Level 4, Exercises A-E

Level 5, Exercises A-E

Level 6, Exercises A-E

Puzzles

These exercises are based on books 1-4, as follows:—

| | Up to and including Exercise Number | | | |
|---|---|---|---|---|
| | + (1) | – (2) | x (3) | ÷ (4) |
| Level 1 | 4 | 4 | 4 | 3 |
| Level 2 | 16 | 16 | 31 | 11 |
| Level 3 | 23 | 26 | 67 | 23 |
| Level 4 | 29 | 33 | 83 | 34 |
| Level 5 | 33 | 36 | 87 | 40 |
| Level 6 | 38 | 41 | 92 | 54 |

# LEVEL 1

**Exercise A**

| | | | |
|---|---|---|---|
| 1. 10 | 2. 27 | 3. 14 | 4. 28 |
| 5. 84 | 6. 72 | 7. 52 | 8. 0 |
| 9. 63 | 10. 121 | 11. 13 | 12. 24 |
| 13. 49 | 14. 13 | 15. 19 | 16. 14 |
| 17. 23 | 18. 21 | 19. 44 | 20. 15 |

**Exercise B**

| | | | |
|---|---|---|---|
| 1. 10 | 2. 20 | 3. 16 | 4. 48 |
| 5. 69 | 6. 63 | 7. 44 | 8. 110 |
| 9. 52 | 10. 120 | 11. 46 | 12. 22 |
| 13. 12 | 14. 17 | 15. 24 | 16. 19 |
| 17. 39 | 18. 14 | 19. 49 | 20. 14 |

**Exercise C**

| | | | |
|---|---|---|---|
| 1. 10 | 2. 56 | 3. 15 | 4. 45 |
| 5. 80 | 6. 96 | 7. 42 | 8. 108 |
| 9. 24 | 10. 12 | 11. 45 | 12. 32 |
| 13. 1 | 14. 13 | 15. 21 | 16. 16 |
| 17. 24 | 18. 19 | 19. 9 | 20. 14 |

**Exercise D**

| | | | |
|---|---|---|---|
| 1. 10 | 2. 54 | 3. 12 | 4. 48 |
| 5. 72 | 6. 90 | 7. 46 | 8. 99 |
| 9. 31 | 10. 10 | 11. 44 | 12. 44 |
| 13. 72 | 14. 12 | 15. 28 | 16. 19 |
| 17. 34 | 18. 13 | 19. 49 | 20. 11 |

**Exercise E**

| | | | |
|---|---|---|---|
| 1. 10 | 2. 81 | 3. 17 | 4. 54 |
| 5. 70 | 6. 77 | 7. 44 | 8. 49 |
| 9. 23 | 10. 22 | 11. 49 | 12. 14 |
| 13. 51 | 14. 12 | 15. 33 | 16. 12 |
| 17. 69 | 18. 39 | 19. 45 | 20. 14 |

# LEVEL 2

**Exercise A**

| | | | | |
|---|---|---|---|---|
| 1. 41 | 2. 4 | 3. 57 | 4. 21 | 5. 58 |
| 6. 45 | 7. 60 | 8. 4 | 9. 79 | 10. 64 |
| 11. 108 | 12. 12 | 13. 159 | 14. 15 r.1 | 15. 140 |
| 16. 13 r.2 | 17. 74 | 18. 386 | 19. 282 | 20. 288 |
| | 21. 744 | | 22. 215 | |

**Exercise B**

| | | | | |
|---|---|---|---|---|
| 1. 41 | 2. 28 | 3. 57 | 4. 31 | 5. 55 |
| 6. 2 | 7. 60 | 8. 46 | 9. 77 | 10. 1320 |
| 11. 118 | 12. 1164 | 13. 145 | 14. 376 | 15. 110 |
| 16. 168 | 17. 522 | 18. 163 | 19. 544 | 20. 137 |
| | 21. 474 | | 22. 104 | |

**Exercise C**

| | | | | |
|---|---|---|---|---|
| 1. 41 | 2. 13 | 3. 1668 | 4. 486 | 5. 612 |
| 6. 60 | 7. 185 | 8. 538 | 9. 10 | 10. 86 |
| 11. 21 | 12. 100 | 13. 143 | 14. 2484 | 15. 35 |
| 16. 51 | 17. 132 | 18. 358 | 19. 126 | 20. 104 |
| | 21. 113 | | 22. 57 | |

**Exercise D**

| | | | | |
|---|---|---|---|---|
| 1. 42 | 2. 21 | 3. 279 | 4. 532 | 5. 127 r.5 |
| 6. 87 | 7. 15 | 8. 150 | 9. 468 | 10. 92 |
| 11. 100 | 12. 184 | 13. 2368 | 14. 33 | 15. 53 |
| 16. 17 | 17. 53 | 18. 160 | 19. 980 | 20. 106 |
| | 21. 60 | | 22. 142 | |

**Exercise E**

| | | | | |
|---|---|---|---|---|
| 1. 43 | 2. 30 | 3. 459 | 4. 285 | 5. 7380 |
| 6. 28 | 7. 176 | 8. 1824 | 9. 123 | 10. 90 |
| 11. 44 | 12. 123 | 13. 2100 | 14. 597 | 15. 16 |
| 16. 70 | 17. 271 | 18. 1770 | 19. 122 | 20. 912 |
| | 21. 70 | | 22. 125 | |

# LEVEL 3

**Exercise A**

| | | | | |
|---|---|---|---|---|
| 1. 121 | 2. 806 | 3. 34 | 4. 98 | 5. 972 |
| 6. 48 | 7. 84 | 8. 1594 | 9. 169 | 10. 122 |
| 11. 727 | 12. 304 | 13. 14 | 14. 132 | 15. 56 |
| 16. 93 | 17. 300 | 18. 60 r.2 | 19. 64 | 20. 695 |

**Exercise B**

| | | | | |
|---|---|---|---|---|
| 1. 131 | 2. 53 | 3. 1326 | 4. 98 | 5. 38 |
| 6. 56 | 7. 1271 | 8. 280 | 9. 35 | 10. 94 |
| 11. 867 | 12. 50 r.2 | 13. 57 | 14. 2146 | 15. 60 r.2 |
| 16. 201 r.2 | 17. 1042 | 18. 256 | 19. 115 | 20. 2142 |

**Exercise C**

| | | | | |
|---|---|---|---|---|
| 1. 82 | 2. 1586 | 3. 13 | 4. 48 | 5. 288 |
| 6. 1560 | 7. 33 | 8. 204 | 9. 130 | 10. 53 |
| 11. 182 | 12. 1331 | 13. 131 | 14. 456 | 15. 102 |
| 16. 113 r.4 | 17. 37 | 18. 64 | 19. 1053 | 20. 125 |

**Exercise D**

| | | | | |
|---|---|---|---|---|
| 1. 111 | 2. 2208 | 3. 24 | 4. 204 | 5. 924 |
| 6. 123 | 7. 416 | 8. 97 | 9. 255 | 10. 68 |
| 11. 124 | 12. 1080 | 13. 203 | 14. 160 r.1 | 15. 247 |
| 16. 16 | 17. 1920 | 18. 209 | 19. 23 | 20. 1664 |

**Exercise E**

| | | | | |
|---|---|---|---|---|
| 1. 835 | 2. 304 | 3. 16 | 4. 70 r.3 | 5. 15 |
| 6. 360 | 7. 57 | 8. 1365 | 9. 32 r.3 | 10. 44 |
| 11. 35 | 12. 139 r.1 | 13. 70 r.3 | 14. 209 | 15. 289 |
| 16. 450 | 17. 7 | 18. 813 | 19. 69 | 20. 103 r.1 |

# LEVEL 4

**Exercise A**

1. 668 2. 1512 3. 13 r.11 4. 29 5. 841
6. 4944 7. 23 r.13 8. 5980 9. 36 10. 12 r.5
11. 22 r.16 12. 2055
13. 210 km
14. 3 runs
15. 55p
16. 14p

**Exercise B**

1. 612 2. 11,052 3. 21 r.8 4. 44 5. 11 r.15
6. 1956 7. 25 8. 1156 9. 9250 10. 20 r.4
11. 2482 12. 10 r.31
13. 39 years
14. 80 daffodils
15. 4 lengths
16. £15

**Exercise C**

1. 617 2. 17,220 3. 33 r.5 4. 13 5. 2952
6. 11 r.5 7. 550 8. 9384 9. 29 10. 21 r.26
11. 2112 12. 32 r.6
13. 22 children
14. 5 days
15. 25 children
16. 42 sums

**Exercise D**

1. 10,121 2. 13 r.3 3. 26 4. 14,260 5. 30 r.9
6. 16,996 7. 54 8. 2491 9. 21 r.6 10. 2916
11. 20 r.4 12. 4446
13. 171 runs
14. 43 plants
15. 65p
16. 96 cabbages

## LEVEL 4 (contd)

**Exercise E**

1. 6,823  2. 13 r.9  3. 3792  4. 32  5. 30 r.10
6. 14,580  7. 21 r.38  8. 43  9. 11 r.46  10. 5888
11. 37,380  12. 2449
13. 32 horse shoes
14. 44p
15. 90 pills
16. 72p

## LEVEL 5

**Exercise A**

1. 6371  2. 10,998  3. 364  4. 11 r.12
5. 5985  6. 507  7. 24 r.6  8. 368
9. 20 r.29  10. 1623  11. 11 r.29  12. 579
13. 16 nuts
14. 24 litres
15. 40p
16. 131 cm

**Exercise B**

1. 10 r.30  2. 444  3. 1863  4. 21 r.27
5. 13 r.2  6. 636  7. 50,560  8. 323
9. 5508  10. 667  11. 3354  12. 11 r.7
13. 3p 72p
14. £1.40
15. 16 steps
16. 3½ hours

# LEVEL 5 (contd)

**Exercise C**

| | | | |
|---|---|---|---|
| 1. 12 r.10 | 2. 383 | 3. 15,456 | 4. 7395 |
| 5. 446 | 6. 21 r.6 | 7. 7770 | 8. 715 |
| 9. 2906 | 10. 11 r.4 | 11. 474 | 12. 10 r.14 |

13. 600 metres
14. 108 apples
15. 34p
16. 11 degrees C

**Exercise D**

| | | | |
|---|---|---|---|
| 1. 8770 | 2. 17 r.5 | 3. 463 | 4. 39,600 |
| 5. 618 | 6. 24 r.10 | 7. 23,072 | 8. 3109 |
| 9. 10 r.26 | 10. 381 | 11. 11 r.54 | 12. 517 |

13. £93.50
14. £2.40
15. £1.90
16. £17.10

**Exercise E**

| | | | |
|---|---|---|---|
| 1. 9916 | 2. 20 r.30 | 3. 675 | 4. 12,730 |
| 5. 30 r.10 | 6. 472 | 7. 11 r.17 | 8. 694 |
| 9. 439 | 10. 4278 | 11. 29,040 | 12. 16 r.42 |

13. 50 km/hour
14. 35 pupils
15. £18
16. 9 boxes

# LEVEL 6

**Exercise A**

1. 1751
2. 17,318
3. 6053
4. 117
5. 7
6. 11 r.3
7. 132 r.4
8. 2732
9. 6890
10. 31
11. 215, 213. The second player
12. £23
13. 120 balls of wool
14. 3000 metres

**Exercise B**

1. 5610
2. 458
3. 7876
4. 218
5. 32,149
6. 14 r.45
7. 82
8. 825
9. 389 r.1
10. 5990
11. 10 years old
12. 40 metres, 5 rolls
13. 38 metres, £190
14. £2.60

**Exercise C**

1. 855
2. 108,243
3. 684
4. 122
5. 15 r.5
6. 1231
7. 3998
8. 38
9. 5766
10. 8151
11. Yes
12. 85 steps
13. £13
14. 12

**Exercise D**

1. 7090
2. 118,132
3. 7996
4. 14
5. 10 r.72
6. 131
7. 2572
8. 6357
9. 53
10. 118
11. 7 stamps, 2p change
12. 64 metres
13. 11 am
14. 9 times

# LEVEL 6 (contd)

**Exercise E**

1. 5135
2. 172,116
3. 209
4. 11 r.27
5. 22
6. 6252
7. 88 r.4
8. 3878
9. 17
10. 4095
11. 23rd September
12. £5.40
13. £29.50, 59p
14. 42

# PUZZLES

1. 4 2. 5 3. 1

|  | (1) 2 | (2) 1 |  | (3) 1 | (4) 1 |  | (5) 3 | (6) 2 |  |
|---|---|---|---|---|---|---|---|---|---|
| (7) 1 | 1 | 2 |  | (8) 6 | 3 |  | (9) 5 | 0 | (10) 5 |
| (11) 8 | 4 |  |  | (12) 9 | 2 | (13) 5 |  | (14) 6 | 4 |
|  |  | (15) 2 | 2 |  |  | 6 |  |  |  |
| (16) 3 | (17) 2 | 0 |  | (18) 4 | (19) 8 |  | (20) 1 | (21) 4 | (22) 4 |
| (23) 6 | 4 | 0 |  | (24) 9 | 6 |  | (25) 5 | 2 | 0 |
|  |  |  | (26) 1 |  |  | (27) 7 | 0 |  |  |
| (28) 3 | (29) 3 |  | (30) 2 | (31) 4 | (32) 2 |  |  | (33) 1 | (34) 8 |
| (35) 6 | 2 | (36) 5 |  | (37) 8 | 1 |  | (38) 6 | 0 | 0 |
|  | (39) 4 | 2 |  | (40) 4 | 5 |  | (41) 5 | ·0 |  |

5. The number 5 must be in the centre.
   One solution:

| 8 | 1 | 6 |
|---|---|---|
| 3 | 5 | 7 |
| 4 | 9 | 2 |

6. 133333249917

7. No. It cannot be more than 750 metres from my house to David's house.

8. You will have to add the 5g weight to the sugar. On the other side, place 25g + 100g weights.

9. She is 11 years old.

10. Route A should be slightly quicker.

11. 30 cubes.

12. There is more than one answer.

13. Either start at A and finish at C, or start at C and finish at A.

14. No. It was ½m too short.

15. £974. Yes, it would.

# NOTES

# ENJOY ARITHMETIC!

The complete series consists of six books, as follows:

Book 1 Basic Addition ........................................1 871044 15 4
Book 2 Basic Subtraction ...................................1 871044 20 0
Book 3 Basic Multiplication ................................1 871044 05 7
Book 4 Basic Division ........................................1 871044 10 3
Book 5 Revision Exercises and Puzzles ..............1 871044 25 1
Book 6 Answer Book .........................................1 871044 30 8

We hope that you are enjoying using these books, and that you are finding them helpful.

If you have not tried all the books in this series, and you would like to buy others, your bookseller or other supplier will order them for you if they are not in stock. Take this book with you, and quote the title and number (ISBN) of the books you need.

# SPELL WELL!

***"A worthy companion to the Enjoy Arithmetic! series."***

Written by Mary Sidley BA, a qualified teacher of many years' standing. Beginning with the simplest of words, **SPELL WELL!** covers the basic rules and, through a series of exercises and puzzles, leads to words which are more difficult to spell correctly. **SPELL WELL!** can be used effectively in the classroom or in the home. Spelling is important for the National Curriculum, and also because the ability to spell increases self-confidence.

SPELL WELL! ......................................................1 871044 55 3